Heiko A. Oberman

Wurzeln
des Antisemitismus

Heiko A. Oberman

Wurzeln des Antisemitismus

Christenangst und Judenplage
im Zeitalter von Humanismus und
Reformation

Severin
und Siedler

Martin E. Katzenstein
1922–1970

»determined to bear
this division in common«

Wenn der Herr die Gefangenen Zions erlösen wird,
so werden wir sein wie die Träumenden.
Dann wird unser Mund voll Lachens und unsre Zunge
voll Rühmens sein. Da wird man sagen unter den
Heiden:
Der Herr hat Großes an ihnen getan!
Der Herr hat Großes an uns getan; des sind wir
fröhlich.
Herr, bringe wieder unsre Gefangenen, wie du die
Bäche wiederbringst im Mittagslande.
Die mit Tränen säen, werden mit Freuden ernten.
Sie gehen hin und weinen und tragen edlen Samen
und kommen mit Freuden und bringen ihre Gaben.

Psalm 126

Inhalt

Teil I
Die Juden auf der Wende zur Neuzeit

Teil II
Von der Agitation zur Reformation
Der Zeitgeist im ›Judenspiegel‹

Teil III
Martin Luther
Heil und Unheil aus den Juden

Vorwort

Unmittelbarer Anlaß für dieses Buch war die Einladung meines Leipziger Kollegen Helmar Junghans, mich an einer Festschrift zu Ehren Martin Luthers zu beteiligen, dessen 500. Geburtstag am 10. November 1983 gefeiert wird. Ohne langes Bedenken entschied ich mich unter den vielen herausfordernden Themen für ›Luther und die Juden‹, überzeugt, daß in der Runde der Festlichkeiten die Besinnung über diesen heiklen Aspekt im Leben und Denken des Reformators nicht fehlen dürfe.

Doch ein solcher Entschluß ist wohl immer von langer Hand angelegt und tatsächlich weniger spontan, als man sich eingestehen möchte. In den Niederlanden geboren und erzogen, vermag ich meine Eindrücke bis zum 10. Mai 1940, dem Datum des Einmarsches der deutschen Wehrmacht, zurückzuverfolgen – die Schlüsselerfahrung meiner Jugend. Mit dem Thema ›Deutschland und die Juden‹ bin ich aufgewachsen. Es hat mich begleitet bis zu meinem Forschungsaufenthalt in Oxford, zehn Jahre nach dem Sieg der Alliierten. In Hörsaal und Hospital stieß ich dort auf einen zwar humorgetragenen, aber ungenierten Antisemitismus, der in Holland damals undenkbar war und in beiden Teilen Deutschlands heute rar sein dürfte. Ernüchtert wurde die wohl naive Romantik, entstanden in dunklen Besatzungsjahren, die das Geburtsland des Parlamentarismus mit Freiheit und Sieg über die Naziideologie ineins gesetzt hatte. Offenbar mußte nicht über Deutschland, sondern vielmehr über ›Europa und die Juden‹ nachgedacht werden.

Meine nächste Auslandsreise entwickelte sich zum achtjährigen Aufenthalt in den Vereinigten Staaten. Dort begegnete mir eine vielgestaltige, lebendige jüdische

Welt, sowohl an der Universität unter Professoren als auch im Lande unter belesenen, historisch engagierten ›Laien‹. Mit Dankbarkeit gedenke ich der fröhlichen Weisheit des warmherzigen Rabbi Martin Katzenstein (†1970), der mich eingeführt hat in die jüdische Freude an Schöpfung und Gesetz. Ihm ist dieses Buch gewidmet.

Im Klima der täglichen Berichterstattung über den langen Jerusalemer Prozeß gegen Adolf Eichmann (bis 11. 12. 1961), den SS-Obersturmbannführer und Leiter des Judenreferats im Reichssicherheitshauptamt, Beauftragten für die Endlösung, war innerhalb der Gemeinde von Rabbi Katzenstein eine harte Diskussion in Gang gekommen zwischen Immigranten, die den Vernichtungslagern entkommen waren, und in Amerika geborenen Juden. Schuldfrage und Vergeltung waren den einen lebensnotwendig, den anderen Haß fördernde Verhaftung an die Vergangenheit. Zur Podiumsdiskussion über das Thema ›The Germans and the Jews‹ wurde ich eingeladen, als Vertreter eines Landes, das ›aus nichtrassischen Gründen unter den Deutschen gelitten hat‹. Ich wähnte mich eins mit den Zuhörern, bis ich mir von einem Auschwitz-Überlebenden sagen lassen mußte: »Ihr Christen seid an allem schuld mit eurer Jahrhunderte währenden Hetze.« Jäh herausgestoßen aus dem Kreis der Opfer, wurde ich so weitergetrieben zum historisch uralten Thema ›Christen und Juden‹.

Diese Frage konnte sich nur noch zuspitzen auf der nächsten Wegstrecke von Harvard nach Tübingen. In fünfzehn Jahren als Beobachter und Mitbürger entdeckte ich seitdem – zunächst widerwillig –, daß die Geschichte des Dritten Reiches in Presse und Fernsehen, in Hörsaal und Familienkreis intensiv und schonungslos betrieben wird, auch von Nichtchristen im Sinne des evangelischen Stuttgarter Schuldbekenntnisses vom 19. Oktober 1945. Die Landessynode der Evangelischen Kirche im Rheinland hat am 11. Januar 1980 Thesen ›Zur Erneuerung des Verhältnisses von Christen und Juden‹

verabschiedet, die weit über die kirchlichen Grenzen hinaus Beachtung gefunden haben. So sehr wurden dort Schuld und Mitschuld am Holocaust des 20. Jahrhunderts abgelesen, daß die Bonner Evangelisch-Theologische Fakultät am 3. August 1980 sich zur Erwiderung berufen sah: »Die nationalsozialistische Ideologie war ebenso offen unchristlich und antichristlich wie antijüdisch.« ›Ebenso offen‹ – Historiker in Deutschland wie Vertriebene aus Deutschland werden hier gleich stutzen: eine deutsche Apologie?

Die Umwelt drängt geradezu darauf, die Erfahrungen der Reise vergessen zu machen und die Unheilsgeschichte wiederum auf ›Deutschland und die Juden‹ einzuschränken. Der israelische Ministerpräsident Menachem Begin konnte sogar am 19. Juni 1981 in einer offiziellen Rede mit Zitaten aus Luthers Spätwerk die deutsche Kollektivschuld historisch belegen, ohne Widerspruch hervorzurufen. Das von ihm vorausgesetzte Lutherbild ist denn auch keine typisch israelische Konstruktion, es wurde von namhaften, vor allem deutschen Lutherforschern vorgezeichnet. Auch dieses Buch war, wie bereits erwähnt, angelegt als Untersuchung über ›Luther und die Juden‹. Doch der Fortgang der Arbeit zwang entschieden zur Erweiterung des Themas auf die Judenfrage im 16. Jahrhundert, auf Europa im Übergang vom Mittelalter zur frühen Neuzeit.

Die historische Relevanz und zeitgeschichtliche Brisanz des Themas legen es nahe, den Anmerkungsapparat nicht völlig zu streichen, obwohl, wie jeweils angegeben, drei wissenschaftliche Aufsätze eine ausführliche Dokumentation beibringen. Zum Titel sind zwei Bemerkungen erforderlich. Von ›Antisemitismus‹ im eigentlichen Sinne kann vor der Rassentheorie des 19. Jahrhunderts nicht gesprochen werden. Dennoch gibt es Maßnahmen, Verhaltensweisen oder Aussagen, die schon längst vor Aufkommen des Begriffes an die Wirklichkeit des Antisemitismus heranreichen. Problematischer ist es um die ›Wurzeln‹ des Antisemitismus bestellt, da diese keineswegs nur bis ins 16. Jahrhundert zurückreichen. Die Suche nach den Wurzeln birgt sogar die Gefahr, die Christenheit aller Epochen freisprechen zu wollen: Konnte doch der Kirchenvater Augustin († 430) schon einen Heiden, den römischen Philosophen Seneca († 65), als Gewährsmann dafür anführen, daß die Juden ein ›verbrecherisches Volk‹ sind – ›sceleratissima gens‹.

In der Tat: Das Zeitalter von Humanismus und Reformation hat den Judenhaß nicht erfunden, sondern ihn vorausgesetzt. Zugleich aber gilt, daß jene Zeit, die so bewußt die Traditionen des Mittelalters überprüft hat, alles, was dieser Sichtung standgehalten hat, mit neuer Kraft der Neuzeit weitervermittelt hat. Dieses »Zugleich« prägt das Gesicht der Epoche und bestimmt ihr Gewicht für die Neuzeit.

Dieses Buch hätte nicht geschrieben werden können ohne die Bestände im British Museum, ohne die ungestörte Arbeit in Ekeby und ohne den ständigen Dialog mit Manfred Schulze. Er hat nicht nur die Liste der ›Handelnden Personen‹ überarbeitet, sondern wurde selber zur handelnden Person – als Gegenüber im Suchen nach der Verbindung zwischen Gestern und Heute.

Tübingen, 15. September 1981   Heiko A. Oberman

Rechenschaft

Im 16. Jahrhundert hat Europa einen zögernden, aber doch bedeutsamen Schritt in die Neuzeit hinein getan. Das trifft zwar weder auf ganz Europa noch auf alle Lebensbereiche zu, aber immerhin, nördlich der Alpen machte die Sache der Menschenrechte erhebliche Fortschritte. Es mehrten sich die Stimmen, die für Toleranz und Glaubensfreiheit eintraten.[1] Drei führende Gestalten Deutschlands und, wie sich herausstellen sollte, drei Kraftzentren für ganz Europa in dunklen Zeiten trugen auf je eigene Weise zu dieser Entwicklung bei: Johannes Reuchlin, Erasmus von Rotterdam und Martin Luther.

Die jüdischen Gemeinschaften jedoch bekamen diesen Fortschritt nicht zu spüren. Das Ideal der Toleranz war eindeutig auf die friedliche Koexistenz der sozial und religiös auseinanderstrebenden Kräfte innerhalb der brüchigen Einheit einer christlichen Gesellschaft ausgerichtet. Das Toleranzstreben hat zunächst eine christlich-restaurative, nicht eine neuzeitlich-pluralistische Spitze. Im Toleranztraum des ausgehenden 15. und beginnenden 16. Jahrhunderts war für ungetaufte Juden kein Platz. Ja, in Wirklichkeit ging die Verbreitung dieses Ideals sogar auf Kosten der jüdischen Bevölkerung in Nordeuropa und zwar besonders in Deutschland. Für die Juden verschlechterten sich zusehends die gesellschaftliche Stellung und der Rechtsschutz im Reich. Auch an dieser Entwicklung hatten Reuchlin, Erasmus und Luther ihren Anteil. Und zwar wiederum jeder auf seine Weise.

Zwei Fragen drängen sich auf, deren Antwort den ersten Teil dieser Darstellung prägen wird: Was berechtigt dazu, Reuchlin, Erasmus und Luther trotz aller ihrer Unterschiedlichkeit dennoch in einem Atemzug zu nennen? Es erscheint doch allgemein anerkannt, daß Luther

15

sich im Jahre 1525 offen von Erasmus getrennt und der humanistischen Bewegung damit seine Absage erteilt hat. Und weiterhin: Wie ist es möglich, daß jede dieser drei geschichtsmächtigen Gestalten in sich wiederum so gespalten ist, zwei völlig gegensätzliche Positionen zugleich einzunehmen – Toleranzbestrebungen und antijüdisches Sentiment?

Wenn man heute herausfinden will, wie jene geschichtliche Begegnung zwischen den jüdischen Gemeinschaften und der europäischen Gesellschaft im 16. Jahrhundert nachzuzeichnen ist, so braucht man sich über Mangel an Quellen und zuverlässigen Interpretationen nicht zu beklagen. Trotzdem gibt es Grund zum Seufzen, denn wir sind belastet durch eine deprimierende Masse von Büchern, die sich nur scheinbar mit diesem Thema befaßt, in Wirklichkeit aber die Misere der Juden im 16. Jahrhundert dazu benutzt, die ausschlaggebende Rolle wirtschaftlicher Faktoren zu dokumentieren. Die ökonomischen Verhältnisse seien nicht nur mitbestimmend, sondern sogar ausschlaggebend für die christlich-jüdischen Beziehungen im Europa der frühen Neuzeit. In solchen Arbeiten erweisen die Autoren zwar den Schulden und Schuldverhältnissen ihre Schuldigkeit, sie tragen aber nichts zur Lösung des Rätsels bei, warum die Fugger zwar verflucht, die Juden aber verjagt wurden.

Gewiß, wirtschaftliche Faktoren und gegebenenfalls sogar Zwänge sind in Rechnung zu stellen,[2] sie sollten aber nicht lenken, sondern dazu dienen, als Aspekte einer Lebenstotalität die Motive aufzuspüren, von denen Einzelpersonen bewegt und ganze Gruppen getrieben werden. Hier schon ist darauf hinzuweisen, daß die Flugschriften, die auf den ›gemeinen Mann‹ zielen und laut nach Gesellschaftsreform schreien, oft von fanatischem Judenhaß zeugen. Judenfreundliche Aussagen dagegen finden sich bei Publizisten, die dem Kaiser oder jenen Landesherren nahestehen, die Schutz- und Steuerrechte über die Juden in ihren Hoheitsgebieten ausübten. Hier sind die Auswirkungen wirtschaftlicher Interessen mit

16

Händen zu greifen. Doch ist das historische Material so sperrig und widerspruchsvoll, daß sich für jene Wende zur Neuzeit schlechterdings nicht festlegen läßt, was Ausnahme und was Regel ist. Ohne Judenhaß kein Judenschutz, sie bedingen einander und sind beide in ihren Beweggründen mehrschichtig. Daraus ergibt sich schlicht die Warnung, in keinem Falle ökonomischen Druck und religiöse Überzeugung auseinanderzudividieren, um sie, säuberlich geschieden, jeweils als einzige Determinanten für die Haltung den Juden gegenüber ins Feld zu führen.

Alle genannten und denkbaren methodischen Probleme überragt ein anderes, das, oft unausgesprochen und verdrängt, jede Äußerung zum Thema belastet: Wir schreiben Geschichte nach dem Nazimassaker. Im allgemeinen nehmen sich Historiker wenigstens gegenseitig in die Pflicht und bestehen auf einer unvoreingenommenen Darstellung der Vergangenheit. Wir reagieren empfindlich, sobald einer der Kollegen aus der historischen Zunft sich vergebens um dieses hohe akademische Ideal bemüht hat. Und dennoch: Wir alle stehen so sehr im Bann jener alptraumhaften Schrecken, daß es schwer ist, im Schattenbereich der Geschichte klar zu urteilen und Recht zu sprechen auf der Grenze zwischen aggressiver Anklage und beschönigender Erläuterung.

Wenn man davon ausgeht, daß die erste Aufgabe des Historikers darin besteht, als letzter Anwalt und Pflichtverteidiger für die Toten einzutreten, so ist es ihm geradezu unmöglich, Amt und Person, Talar und Gewissen nicht zu vermengen. Und vorausgesetzt, es ist die nächste Aufgabe des Historikers, die Rolle des Staatsanwalts zu übernehmen, so wird er dem moralischen Druck nicht ausweichen können, die Vergangenheit zu verklagen, um künftigen Rückfällen zu wehren. Der Historiker waltet tatsächlich beider Ämter zugleich, wenn er die verfügbaren Quellen als seine Augenzeugen zum Reden bringt. Dann wird er als Ankläger, als Anwalt und am Ende auch noch als Richter an die Grenze des Menschlichen geführt. Denn er darf sich nicht auf Kosten der Geschichte als aufgeklärter Kopf zu profilieren suchen und genausowenig aus Ehrfurcht vor der Geschichte den jeweiligen Zeitgeist als mildernden Umstand entscheiden lassen. Das gilt für das Urteil über einen einzelnen Mann, etwa über Martin Luther, oder auch für das über jene Epoche der zaghaften Toleranzbemühungen in Nordeuropa, die gemeinhin als die schönste Frucht des Renaissancehumanismus gefeiert wird.

Zu Anfang unseres Jahrhunderts hatten sich aufgeklärte Historiker auf eine Skala geschichtlicher Werte samt entsprechender Rollenzuweisung geeinigt, die sich heute unter dem Eindruck der jüngsten Geschichte geradezu als Orthodoxie etabliert hat: Der reichstreue Reuchlin tritt auf als Vater der Judenemanzipation, der deutsche Luther als bigotter Antisemit und der europäische Erasmus als Urbild von Toleranz und Verfechter der Menschenwürde. Selbst kleinere Korrekturen bringen den Abweichler in den Ruf der Ketzerei. Im ›Bewältigungstheater‹ sind die Rollen längst vergeben und fest eingespielt. Es besteht ein respektabler Konsens, was der gute Bundesbürger zu bekennen hat und wessen der unbelehrbare Deutsche – zur Zeit nicht öffentlich – huldigt. Die Rückschau auf den Neuaufbruch der Christenheit im 16. Jahrhundert zeigt jedoch, wie brandgefährlich es ist, Judenhaß als typisch deutsch an Blut und Boden festzuheften. Unsere Gesellschaft hat nicht nur ein Recht auf genauere Information und auf ungeschminkte Vergangenheit. Europa bedarf sogar der kollektiven Anamnese, der schmerzhaften Aufarbeitung von Geburt und Wachstum seiner Neuzeit. Denn es geht nicht um eine deutsche Vergangenheit, die, einmal bewältigt, uns ein für allemal befreit und Europa in die Zukunft entläßt.

Anmerkungen zu Rechenschaft

1) Erich Hassinger, *Religiöse Toleranz im 16. Jahrhundert. Motive – Argumente – Formen der Verwirklichung,* Vorträge der Aeneas-Silvius-Stiftung an der Universität Basel 6, Basel 1966. Hans R. Guggisberg, »Veranderingen in de argumenten voor religieuze tolerantie en godsdienstvrijheid in de zestiende en zeventiende eeuw«, *Bijdragen en Mededelingen betreffende de Geschiedenis der Nederlanden* 91 (1966), 177–195.

2) Siehe Stuart Jenks wegweisenden Aufsatz »Judenverschuldung und Verfolgung von Juden im 14. Jahrhundert: Franken bis 1349«, *Vierteljahrschrift für Sozial- und Wirtschaftsgeschichte* 65 (1978), 309–365.

Teil I

Die Juden
auf der Wende zur Neuzeit

Was ihn [den Reformatoren] nun fürkumpt und
traumt
das geben sie in die Welt für
Evangelisch lumpen.
Wie dann ietz ain seicht gelerter Kindsprediger,
mit ainem klauen des guldins Kalb
in die seyten geworfen, understat,
die blutdurstigen Juden zu vertaidigen,
das nit war sey, auch nicht glaublich,
das sie der Christen Kinder ermorden
oder ihr blut brauchen,
zu hon und spot der oberkait
und gantzer Christenhait ...

Johann Eck
Ains Judenbüechlins Verlegung
1542, fol. A IV^r

1. Fremde Bundesgenossen

Im Geschichtsbild des 19. und beginnenden 20. Jahrhunderts erschienen Renaissance und Reformation noch als verwandte Bewegungen, die zusammen Europa aus mittelalterlichen Denk- und Lebensweisen in die Neuzeit geführt haben. Heute kann es sich kein ernstzunehmender Wissenschaftler mehr leisten, Reuchlin, Erasmus und Luther einer einzigen, ungebrochenen Entwicklungslinie vom »Dunkel des Mittelalters« zum »Fortschritt der Neuzeit« zuzuordnen. Wir sind uns zwar der unbestreitbar vorhandenen, gegenseitigen Beeinflussungen und zeitweiligen Bündnisse bewußt, richten unser Augenmerk aber mit äußerster Sorgfalt auf die zum Teil sehr unterschiedlichen Triebfedern und Ziele dieser Erneuerungsbewegungen, heutzutage als ›Humanismus‹ und ›Reformation‹ säuberlich von einander geschieden.

Hier eröffnet sich das Problem jeder Geschichtsschreibung, daß die Bewertung einer Epoche durch die Zeitgenossen ganz andere, teilweise sogar entgegengesetzte Schwerpunkte setzt als die Geschichtsschreibung der Nachgeborenen. So war für viele Zeitgenossen des 16. Jahrhunderts diese Scheidung zwischen ›Reformation‹ und ›Humanismus‹ unklar, ja sogar unwahr. Einer der gebildetsten, produktivsten und meistgelesenen frühen Vorkämpfer für eine Erneuerung von Kirche und Gesellschaft, Johann Eberlin von Günzburg, würde die heutige Scheidung als weltfremdes Kunstprodukt, ja sogar als Geschichtsfälschung ablehnen. Der wegen seiner evangelischen Überzeugung 1521 aus Ulm vertriebene Franziskanermönch hat noch vor Ablauf desselben Jahres in seiner Kampfschrift *15 Bundesgenossen* Reuchlin und Erasmus als Verbündete Luthers dargestellt. Diese

23

beiden seien sogar als Urheber zu betrachten, sie haben den »ersten stain gelegt alles hails«.[1] Eberlins Auffassung entbehrt nicht des wahren historischen Kerns – obwohl genauere Betrachtung ausweist, daß die Unterschiede die Gemeinsamkeiten bei weitem überwiegen.

Reuchlin († 1522), Erasmus († 1536) und Luther († 1546) unterscheiden sich allein schon in einer nur scheinbar banalen Tatsache: Die drei Männer erreichen den Höhepunkt ihrer geistigen Schaffenskraft in drei aufeinanderfolgenden Jahrzehnten. Selten haben sich Jahrzehnte so schnell von einander entfernt. In diesen dreißig Jahren hatte Europa eine Periode durchgreifenden Wandels und dramatischer Umschwünge im gesamten Lebenszuschnitt zu durchstehen.

Nicht nur Alter sondern auch Herkunft spielen ihre Rolle: Reuchlin war ein Schwabe. Trotz Ausbildung an französischen Universitäten, in Paris, Orléans und Poitiers, trotz seiner Italienreisen war und blieb er seiner Heimat verhaftet, dem Raum zwischen seiner Vaterstadt Pforzheim, Württembergs Hauptstadt Stuttgart und der Universitätsstadt Tübingen. Seine erste Dienstpflicht galt bis zum Jahre 1513 dem Amt als Richter beim Schwäbischen Bund,[2] eine Ordnungsmacht im Reich, die zusätzlich an Ansehen gewann, seit es ihr gelungen war, im Jahre 1519 den Städteverächter Herzog Ulrich aus Württemberg zu vertreiben. Seiner Loyalität nach war der Bundesrichter den oberdeutschen Reichsstädten und dem Kaiser verpflichtet. Reuchlin, der Gelehrte und Lehrer der Sprachen des Klassischen Altertums, verband so die Liebe zur Philologie mit einem feinen Gespür für die politischen Dimensionen der Jurisprudenz.

Erasmus dagegen fehlt neben der juristischen Ausbildung auch das Interesse an Rechtsfragen und politischen Strukturen. Er fühlt sich keineswegs an das Land seiner Geburt, die Provinz Holland in den Niederlanden, gebunden, sondern lebt in regem schriftlichen und mündlichen Gedankenaustausch im Kreis der gesamten europäischen Gelehrtenwelt. Die Stationen seiner wissenschaftlichen Pilgerfahrt werden ihm nur zur Bleibe, nie Zuhause. Heimat fand er, wie er sich auszudrücken pflegte, jeweils ›wo meine Bibliothek ist‹. Am liebsten jedoch hielt er sich am Rhein auf, nach dem er sich sehnte als Träger von Nachrichten und Kultur.[3] In einem Schreiben vom Jahre 1518 an den sächsischen Kurfürsten Friedrich benennt Reuchlin Kandidaten für die Besetzung der Griechisch-Professur in Wittenberg und gibt ausdrücklich zu erkennen, daß Erasmus ganz und gar nicht als Deutscher gelten kann: »In Deutschland kenne ich keinen Besseren« für diesen Griechisch-Lehrstuhl als Melanchthon – seinen Großneffen –, »außer Erasmus, und der ist Holländer«.[4] Als Deutscher wurde er also nicht betrachtet – ein Europäer, das war er.

Ein vielgereister Mann war auch Martin Luther. Doch mit Ausnahme einer Dienstreise über die Alpen nach Rom verließ er die Grenzen des Deutschen Reiches nicht. Seit dem Bannspruch des Kaisers zu Worms (1521) war er zunächst in die Grenzen Sachsens gewiesen und auch später, bis zum Ende seines Lebens, in seiner Bewegungsfreiheit auf evangelische Gebiete beschränkt. Seine Schriften haben Meere überquert, er selbst zog den soliden Grund der Straßen vor. Flüsse blieben ihm zeitlebens verdächtig: Wenn sie urplötzlich anschwollen und über die Ufer traten, ahnte er Teufelswerk, das seine Reisen zu verhindern oder die Rückkehr nach Wittenberg zu erschweren suchte.

Doch die Unterschiede zwischen diesen drei Gestalten greifen tiefer, bis auf jenen entscheidenden Punkt, wo Beruf und Berufung aufeinandertreffen: Reuchlin ist der gelehrte Jurist, der erste deutsche Hebraist und insgesamt der erste deutsche Gelehrte, der mit italienischen Bildungsgrößen vergleichbar ist – ein einheimischer Pico della Mirandola.[5] Erasmus ist der herausragende Gräzist, der mit seiner Ausgabe des griechischen Neuen Testaments (1516) die Kirche genauso beunruhigt hat wie Luther mit seinen Ablaßthesen (1517). Luther ist der prophetische und profunde Schrifttheologe, der das neue

Instrumentarium von Reuchlin im Hebräischen und von Erasmus im Griechischen als feste Basis für zuverlässige Lehre und evangelische Verkündigung bereits einsetzen konnte.

Im Blick auf diese geschichtliche Konstellation läßt sich tatsächlich von einem Triumvirat reden. Aber diese umwälzende Neuorientierung an den Quellen, die Eberlin von Günzburg zu Recht als das allen gemeinsame Ziel beschreibt, hat die drei nicht zusammengeführt, sondern getrennt. Die jeweilige Schriftdeutung auf Grundlage der Originaltexte – anstelle der lateinischen Vulgata, unangefochten bis dahin als maßgeblicher Bibeltext – läuft in wesentlichen Punkten auseinander. Bereits ihr sprachliches Arsenal lenkt die wissenschaftliche Arbeit der drei in verschiedene Richtungen. Reuchlin ist als einziger von ihnen wirklich ›trilinguis‹. Er beherrscht also Hebräisch, Griechisch und das klassische Latein. Erasmus hat sich zwar eine Zeitlang mit der hebräischen Sprache beschäftigt, gab aber dieses Unternehmen bald wieder auf, wobei er sich auf die Kürze des Lebens und den Druck seiner zahlreichen Forschungsarbeiten berief.[6] Luther hingegen widmete sich dem Hebräischen eingehend und lernte die Sprache außerordentlich schätzen: Mehr als andere Sprachen ist das Hebräische ungekünstelt und aussagekräftig – »lingua Ebraica est omnium optima ... ac purissima ... Sie hat ir eigen farb«.[7] So stellte er die unspekulative Klarheit des Hebräischen dem Griechischen gegenüber,[8] ohne aber jemals jene Vertrautheit mit der Sprache des Platon und Aristoteles, des Erasmus und Melanchthon erlangt zu haben, die später in der Wissenschaft selbstverständlich war. Luthers Meisterschaft liegt eindeutig im Deutschen, sogar der Witz und Biß seiner lateinischen Schriften verraten den schöpferischen Umgang mit der Muttersprache.

Alle diese Unterschiede der Epoche, der Herkunft, Berufung und Bildung wurden von Eberlin wie von vielen nachfolgenden Gelehrtengenerationen übersehen. Das lag an dem Waffenbündnis, zu dem Reuchlin, Erasmus und Luther sich gegen die ›Dunkelmänner‹ zusammenfanden, gegen die Vertreter der mittelalterlichen Scholastik, die sich ihrerseits mit dem dominikanischen Hüter der Orthodoxie, dem Kölner Inquisitor Jakob Hochstraten († 1527), verbündet hatten. Diese restaurative, auf die Vulgata eingeschworene Allianz war so eng mit den Zentren der Macht verfilzt, daß sie allen dreien ein ähnliches Schicksal bescheren konnte. Reuchlin und Luther wurden im Jahre 1520 verurteilt; 1559 setzte Papst Paul IV. die Werke des Erasmus nach Jahrzehnten der Anfeindung auf den Index der verbotenen Bücher, wo sie mit wechselnder Auswahl auch in weiteren Ausgaben wieder auftauchten.[9]

Damit ist ein wesentlicher Punkt benannt, der zwar nicht die gemeinsame Grundlage, wohl aber die gemeinsame Wirkung trifft. Nur auf Zeit und dazu nur in einem durchorganisierten Obrigkeitsstaat kann Zensur verhindern, daß freie Forschung tiefere Wurzeln schlägt. Und dennoch sollten wir uns von dem gemeinsamen Geschick der Diffamierung und Verurteilung nicht in die Irre führen lassen: Reuchlin, Erasmus und Luther bilden keine gemeinsame Front im Kampf um die allerorts verlangte Erneuerung der Kirche. Ihre Ziele und Beweggründe sind zu gegensätzlich. Reuchlin beschäftigte sich so eingehend mit hebräischem Gedankengut,[10] um die Überlegenheit und Universalität des christlichen Glaubens auszuweisen. Dazu sah er die Scholastik mit ihrer Technisierung der Theologie außerstande. Erasmus wandte sich nach einer Frühphase gewagter Kritik von der antischolastischen und antiklerikalen Satire ab. Er fürchtete für die Sache der ›bonae litterae‹, der klassischen Bildung, die eher ohne Streit und Lärm zunächst einzelne Menschen und von dorther Kirche und Gesellschaft bessern würde. Luther bezog schon früh Position gegen die »infelices Colonienses«, die unseligen Kölner Scholastiker.[11] Sein Vorstoß galt jedoch anderen Zielen, als den von Reuchlin[12] und Erasmus anvisierten. So führt er gegen die talar- und titelvernarrten Professoren, als

›magistri nostri‹ allgemein verspottet, nicht deren Vernachlässigung des klassischen Stils ins Feld; nicht der Bildungsmangel, sondern die Schriftferne ihrer Theologie treibt ihn zum Angriff. Im Jahre 1522 distanziert sich Luther ungeniert von den bildungsgläubigen Zeitgenossen: Sein Kampf gegen die Scholastiker hat nichts mit ihrem Mangel an rhetorischer Raffinesse und Gelehrsamkeit zu tun. In dieser Beziehung, so gesteht er, bin ich genauso unbeleckt – »sum et ego barbarus«.[13]

Die Gründe, das von Lehre und Legende gehegte Triumvirat als geschlossene intellektuelle Phalanx auszugeben, sind also nicht stichhaltig. Als gemeinsames Band bleibt jedoch das allen dreien eigene Vertrauen, ein erneuertes und unvoreingenommenes Studium der biblischen Quellen könne jene Weisheit zutage fördern, die die Wahrheit unverfälscht ans Licht bringen und Kirche wie Gesellschaft wieder beleben würde.

Eben diese kühne, in die Neuzeit weisende Vision geht bei ihnen Hand in Hand mit einem Antijudaismus, der zwar bei traditionell mittelalterlichen Haßbildern anknüpfen kann, der jedoch keineswegs als bloßes Relikt aus dem Mittelalter unterschätzt werden darf. Antijudaismus, das ist der gemeinsame Sturmlauf von Humanismus und Reformation gegen alle Veräußerlichung von inneren Werten, das ist die Überwindung des toten Buchstabens im Namen des lebendigen Geistes. Antijudaismus wird zum integralen Bestandteil der Reformprogramme des 16. Jahrhunderts. Im Kampf für die Erneuerung von Kirche und Gesellschaft werden Juden und Judentum als eingängige und unzweideutige Belege für die geistige Verwirrung der Zeit verwendet. Die Grenzen zum späteren Antisemitismus sind deutlich gezogen, die Grenzüberschreitungen aber merklich angelegt.

Ihre Haltung gegenüber Juden und Judentum gibt unerwarteten und unwillkommenen Aufschluß über die Frage, in welcher Hinsicht Reuchlin, Erasmus und Luther ihrer Zeit voraus an die Aufklärung heranführen oder sogar unsere Zeitgenossen sind. Die später so voller

Stolz gefeierte religiöse Toleranzbewegung ist höchst ernüchternden Anfängen entsprungen: Selbst das 16. Jahrhundert, so bewußt im Kampf gegen das Mittelalter, hat im Verhältnis zu den Juden das Mittelalter keineswegs zurückgelassen. Vielmehr hat der Aufbruch zu Reform und Reformation die Abgrenzung des wahren Christentums nach allen Seiten hin gefördert. Gerade der unbegründete Stolz auf befreiende Neuzeit hat uns anfällig gemacht, im Rausch der erreichten Emanzipation die dunklen Grenzen der Toleranz zu überspielen.

2. Johannes Reuchlin
Besserung oder Vertreibung

Die Dunkelmännerbriefe der Jahre 1515 und 1517 haben immer wieder fasziniert. Spitze Humanistenfedern hatten hier eine versteinerte Scholastik als dunkel und dumm parodiert und so die Absage der deutschen Bildung an das lateinische Mittelalter proklamiert. Aus dem Streit um die Auslieferung und Verbrennung der Judenschriften (1507) entstanden, suggerieren sie den Großkampf zwischen zwei Bildungsmächten, Humanismus und Scholastik – im Sinne der Dunkelmännerbriefe zwischen Bildung und Macht. Eine solche, in der Hitze des Kampfes gezogene Frontlinie läßt sich, im europäischen Gesamtrahmen betrachtet, gewiß nicht aufrechterhalten. Paul Oskar Kristeller[14] und Charles Trinkaus[15] haben die mittelalterlichen Wurzeln des Renaissancehumanismus nachgewiesen, die bis in die Hochburgen der scholastischen Denkschulen, Thomismus und Nominalismus, zurückreichen.

Die Freilegung der Spuren, die darüber Aufschluß zu geben vermögen, wieviel die führenden Humanisten den Scholastikern zu verdanken haben, steckt noch in den Anfängen. Johannes Reuchlin wenigstens war sich seiner Wurzeln bewußt und immer auf Synthese bedacht. Doch selbst er hat sich keine Illusionen gemacht über das Auseinanderklaffen von Tradition und Bildungsfortschritt am neuralgischen Punkt des Bibeltextes. Er rechnete geradezu damit, für seine Infragestellung der Autorität der Vulgata, die ja Grundtext für Theologie und Kirchenlehre war, angegriffen zu werden. Neuerdings ist jedoch die These aufgestellt worden, der ›eigentliche‹ Streitpunkt sei ganz woanders zu finden, denn die Dunkelmänner aus Köln hätten Reuchlin weniger seiner humanistischen Bestrebungen als seiner jüdischen Sympathien wegen attackiert: »... das Lager der Reuchlin-Gegner setzte sich aus einer bunt gemischten Gruppe von Antisemiten aus allen sozialen Schichten zusammen, Scholastiker, Humanisten und sogar Könige.«[16] Die These von Reuchlins Judenfreundschaft ist aber gehörig einzuschränken: Seine Bestrebungen waren nicht projüdisch, geschweige denn prosemitisch motiviert.

Wir betreten hier heikles Gebiet, denn darüber, wie diese Begriffe im Kontext der Erfahrungswelt des 16. Jahrhunderts zu gebrauchen und zu verstehen sind, herrscht weder Einstimmigkeit noch Klarheit. Der Sprache unserer Quellen ist nicht unbedacht zu trauen. Selbst kommentarloses Zitat reicht zu beredter Verfälschung. Vieles, was spätere Generationen als Rassismus verurteilen, kann sehr wohl einem Vokabular angehören, das damals historisch vorgegeben war und wenig oder nichts über Umbrüche und Neuansätze der Zeit aussagt. Wie soll man Antijudaismus in seinen Graden messen und in seinem Gewicht für eine Welt bestimmen, aus der wir für immer ausgebürgert sind und die wir als Fremde zu besuchen haben? Es ist eine religiöse Welt, die Wahrheit als unteilbar betrachtet, Abweichung als Irrtum verbannt und unverhüllte Häresie als Lästerung um des Lebens willen bei Gott fürchtet. Diese Welt ist hin und her gerissen, kann sich nicht entscheiden, ob sie zum letzten Mittel, der Massenbekehrung durch Gewalt, greifen soll oder den Fehlschlag der friedlichen Judenmission als Beweis der Gottesstrafe und somit als Bestätigung ihrer eigenen Wahrheit deuten muß. George Santayana hat den Fanatiker einprägsam als denjenigen definiert, der seinen Eifer verdoppelt, wenn er sein Ziel aus den Augen verloren hat. Der christlich-antijüdische Fanatismus ist so ungreifbar wie schillernd, weil er sich als unfähig erwies, zwischen den beiden Methoden – der Massenbekehrung und der Massenvertreibung – zu entscheiden. Was der moderne Betrachter als Fanatismus betrachten muß, verdeckt aber jene Nuancen und Neuansätze, die sich allein durch Vertiefung in die Quellen und Einleben in die Zeit aufspüren lassen.

Welche sind die verläßlichen Symptome, die es rechtfertigen, von einer Vorform des Antisemitismus damals zu reden: Konfiszierung jüdischer Bücher oder schon die Schutzsteuer für Judengemeinden; neurotische Angst oder erst Aggressionen freisetzende Verleumdung, wie Gerüchte über Hostienentweihungen oder Ritualmorde, womit – so hieß es – Juden sich Christenblut für die Heilung ihrer Krankheiten beschafften? Ist die bloße Tatsache, daß man von Judenhinrichtungen absieht, sich mit Ausweisungen begnügt und »sogar« die Mitnahme aller beweglichen Habe gestattet, der Beweis einer liberalen Haltung?[17] Diese jener Zeit gemäßen Fragen warnen vor dem unnuancierten Einsatz der massiven Bezeichnung ›Antisemitismus‹.

Nicht der berühmte ›Reuchlinstreit‹ mit den scholastischen Dunkelmännern ist für die Judenfrage im 16. Jahrhundert einschlägig, sondern sein Anlaß: der schon mehrfach geprobte inquisitorische Vorstoß, die im Talmud gesammelten rabbinischen Gesetzesvorschriften mit der Begründung zu vernichten, sie seien blasphemisch und staatsgefährdend. Die öffentliche Auseinandersetzung um Reuchlin entbrennt erst nach Erscheinen seines *Augenspiegel* zu Tübingen im Jahre 1511, in dem sich der Autor gegen die unterschiedslose Vernichtung des Talmuds aussprach. Jetzt beginnt der Kampf der Federn, nun aber mit verändertem Gegenstand: Denn anstelle des Talmudstreits wird die Rechtgläubigkeit Reuchlins zum Thema. Deshalb sind die beiden Bände der *Epistolae obscurorum virorum*, die 1515 von Crotus Rubeanus und 1517 von Ulrich von Hutten anonym herausgebracht wurden, beiseite zu lassen. Unter den Werken Reuchlins[18] enthält sein lateinisches Handwörterbuch, der *Vocabularius breviloquus* (Basel 1478), keinerlei Aussagen zum Thema. So verbleiben uns die höchst bedeutsamen Schriften *De verbo mirifico* (Basel 1494), die *Tütsch missive* (Pforzheim 1505) über den Judenschutz, *De rudimentis hebraicis* (Pforzheim 1506), die erste hebräische Grammatik, und schließlich die *Opinion*, ein dem Kaiser vorgelegtes Gutachten gegen die Konfiszierung hebräischer Bücher (1510), ein Jahr später im *Augenspiegel* veröffentlicht.[19]

Es empfiehlt sich, chronologisch vorzugehen und somit zunächst Reuchlins *De verbo mirifico*[20] auf seine Judenschau zu befragen. Dieses Buch ›Das wunderwirkende Wort‹ ist im Laufe der Zeit auf vielerlei Weisen interpretiert worden: als Beweis für die Notwendigkeit, Hebräisch zu lernen; als Verteidigung der christlichen Kabbala, als persönlicher Ausdruck von Reuchlins mystischen Anliegen und in jüngster Zeit – am einleuchtendsten[21] – als Programm für die Wiedererlangung der göttlichen Gabe der Geheimwissenschaften, die den Menschen mit Hilfe der Kabbala befähigen, die Naturmächte zu beherrschen. Mit Kabbala meint Reuchlin jene geheimnisvoll tradierte, »bis vor kurzem« nur den jüdischen Gelehrten zugängliche Methode, in und hinter den Buchstaben des Alten Testaments das Mysterium der Gottesoffenbarung, ja des Gottesnamens selbst zu entdecken. Diese so enthüllte Offenbarung weist über sich hinaus auf das Christusgeschehen, markiert somit die Bedeutung der jüdischen Bibel, macht sie aber zugleich zum überholten Buch des Alten Bundes, also zum Alten Testament.

Der hier abstrakt formulierte Sachverhalt wird von Reuchlin mit großem schriftstellerischen Geschick in einem ›Religionsgespräch‹ anschaulich gestaltet, das auch in seiner Schrift über die Kabbala, *De arte cabalistica* (1517), die zentrale Szene bildet. Es handelt sich um einen Disput zwischen Sidon, dem geborenen Epikuräer und Wortführer der heidnischen Philosophie, Baruch, dem gelehrten Juden, und Capnion, dem gelehrten Christen. Aus ihm spricht Reuchlin. In Form eines Gesprächs, aber eines Kampfgesprächs um Wahrheit (sectarum controversia)[22] – also ähnlich und doch grundsätzlich anders als in Lessings Toleranzmanifest ›Nathan der Weise‹ – beweist Capnion die Überlegenheit des christlichen Glaubens, fordert und erreicht die Buße[23] Sidons und Baruchs. Dieser Sieg wird besiegelt durch Tauf- und Reinigungsrituale. Ebenso wie Sidon mit Epikur der Glückssuche ohne Gott abschwören muß, hat Baruch mit dem Talmud die Absage an Christus, den gekommenen Messias, aufzugeben. Dies sei der Weg eurer Bekehrung: Du, Baruch, wende dich ab vom Talmud und Du, Sidon, von Epikur – »Resipiscentia vestra haec esto: a Thalmudim, Baruchia, tuque Sidoni ab Epicuro ... receditote«. Laßt euch reinigen im Taufbad – »Lavamini, mundi estote«.[24]

Es ist deutlich, daß es sich hier nicht um einen primitiven Bekehrungsversuch handelt, der den Gegner entweder der Dummheit oder der Verstockung überführt. Es bedeutet tatsächlich einen Schritt auf Lessing und die Aufklärung zu, wenn die Religion des Gegners ernstgenommen und als wahrheitsträchtig anerkannt wird. Die äußere Form erinnert zwar noch an mittelalterliche Dispute zwischen Christen und Juden, die jedoch – anders als bei Reuchlin – wie Schauprozesse inszeniert waren. Der Disput des gelehrten Humanisten bietet inhaltlich eine Einführung in die hohe Kunst des Magus, dem es gelingt, die disparaten Elemente von Wahrheit in ihrer ursprünglichen Einheit zusammenzuschauen. Reuchlin ist nun eindeutig der christliche Magier, der aufdecken kann, daß erst und nur Christus die Wahrheit von Juden und Heiden erschließt.

Dieser Alleinanspruch trennt Capnion–Reuchlin von Lessing und erklärt, warum er seinen Respekt vor der hebräischen Sprache und seine Verneigung vor der kabbalistischen Interpretation mit einer Verwerfung des Talmud verbinden kann. Dem modernen Bild zuwider und somit völlig unerwartet erhellt Reuchlin die Distanz zur Aufklärung mit einem Schlag: »Ihr Juden habt die Heilsgeheimnisse verdreht, deshalb murmelt ihr eure Gebete umsonst, umsonst ruft ihr Gott an, den ihr nicht so verehrt, wie er es will. Ihr schmeichelt euch eures selbsterfundenen Gottesdienstes und verfolgt uns, die nun wirklich Gott dienen, mit unsterblichem Haß...«[25]

Es handelt sich bei diesem »Zugleich« von wissenschaftlichem Respekt und Anfeindung im Namen Christi nicht um die Inkonsequenz eines späten deutschen Zöglings der aus Italien importierten Kabbala. Reuchlin folgt vielmehr einer eingefahrenen Argumentation, die der bekehrte Jude, der Kabbalist Flavius Mithridates, in einer Karfreitagspredigt 1481 in Rom vor Papst und Kardinälen in unverhüllte Form gebracht hat: Die Juden verbergen ihre Geheimwissenschaft und weigern sich, sie öffentlich zu machen, damit wir keinen Teil an ihr bekommen. Doch ich, Flavius Mithridates, weiß ganz genau und täusche mich nicht, wie große Frucht das Christentum erlangt hat von denjenigen Juden, die sich zum Evangelium bekehrt haben.[26]

Im deutsch verfaßten ›offenen Brief‹, die *Tütsch missive,* 1505 entstanden, hat Reuchlin diesen Zorn thematisch gemacht. Er erklärt das »Elend« der Juden, ihr Exil, als Gottesstrafe für ihre Kollektivschuld. So sehr sind sie mit Blindheit geschlagen, daß sie unfähig sind, den Weg zur Buße zu finden. Der »weg der buß, das ist ruw und leid«,[27] das ist der Weg der Bekehrung, der zum Anschluß an die christliche Kirche führt. Einzig der gelehrte Jude wird diesen Ausweg finden, nur der Weise, der in die Geheimkunst der Kabbala eingeweiht ist, wird verstehen, daß die hebräischen Buchstaben für den Namen des Allmächtigen ›Jeschu‹ bedeuten, also Jesus. Der Traktat[28] stellt geradezu die praktische Anwendung von *De verbo mirifico* dar. Die Umkehr Baruchs wird nicht nur als Gesinnungswechsel, sondern unverhüllt als Religionswechsel beschrieben. Weil das Elend der Juden gottgegebene Strafe, nicht menschenverschuldetes Unrecht ist, können sie dem Gottesurteil nur durch Bekehrung entgehen.

Reuchlin schließt mit einem Hinweis auf das Karfreitagsgebet für die ›perfidi Iudaei‹: »Ich bete zu Gott, daß er sie erleuchte und zum rechten Glauben hinführe, so daß sie aus ihrer Teufelsgefangenschaft befreit werden... Sobald sie Jesus als den wahren Messias anerkennen, wird sich alles für sie zum Guten wenden, sowohl in dieser wie in der kommenden Welt. Amen.«[29] Noch einmal: Diese Möglichkeit steht nur einigen wenigen Glücklichen offen, nämlich jenen Juden, die mit den Geheimnissen des wunderwirkenden Wortes vertraut sind.

Das aufschlußreiche Vorwort zu *De rudimentis hebraicis*, abgeschlossen am 5. März 1506, gibt eine gedrängte Zusammenfassung von Reuchlins bisherigen Erkenntnissen und enthält eine prophetische Ankündigung von Ereignissen, die seinen Ruf als ›Praeceptor Germaniae‹ zugleich prägen und schädigen sollten; Titel und Würde mußte er schließlich seinem Großneffen, dem Wittenberger Reformator Philipp Melanchthon, überlassen. Reuchlin erklärt seine Entschlossenheit, die unerläßliche Einübung ins Hebräische gegen alle betroffenen Bildungsmächte durchzufechten, gegen die Scholastiker, die Juden und sogar gegen die Humanisten. Dabei geht er von dem verheerenden Schaden aus, der dem Studium der Bibel nicht nur von Seiten der scholastischen ›Sophisten‹, sondern auch von den Schülern der Rhetorik und Poesie entstanden ist.[30] Die ›literati‹, die Gebildeten, mögen wohl meinen, daß er, Reuchlin, mit seinem Interesse für Grammatikfragen sich mit ›puerilia‹, mit Kindereien, befasse, die sich für einen Gelehrten nicht schikken.[31] Das Studium der Grammatik ist jedoch schon immer die eigentliche Grundlage der Philosophie gewesen; so bildet auch die Kenntnis des Hebräischen die Grundvoraussetzung für jede Beschäftigung mit der Kabbala.[32]

Realistisch skizziert er seine isolierte Lage: Während die Humanisten ihn auslachen und mit Verachtung strafen und die Juden ihn abweisen, fallen die Sophisten wie tollwütige Hunde über ihn her.[33] Welche Ungeheuerlichkeit, so ihr Schrei, der Mann erfrecht sich, die heilige Vulgata zu kritisieren und die inspirierte Übersetzung, die der heilige Hieronymus hergestellt und der große Lyra kommentiert hat, in Zweifel zu ziehen![34]

Reuchlin hat die Gefahr seines Unterfangens und die Macht seiner Gegner richtig eingeschätzt, wie die Geschichte beweist. Die folgende Aussage vereint den Klang rhythmischer Rhetorik mit der Überzeugungskraft gewagter Wahrheit: Obwohl ich Hieronymus als Engel verehre und Lyra als Lehrmeister hoch in meiner Achtung steht, beuge ich mich doch nur der Wahrheit als höchster Instanz. – »Quamquam enim Hieronymum sanctum veneror ut angelum, et Lyram colo ut magistrum, tamen adoro veritatem ut deum.«[35]

Diese nicht nur damals gewagte Unabhängigkeit ist die Grundlage aller wahrhaft historischen Forschung geworden. Ihr entspringt die Forderung, Reuchlins Maxime auch auf den großen Meister selbst anzuwenden. Das neuzeitlich eingängige Bild des Judenfreundes läßt sich nicht halten. Reuchlin war von der Kollektivschuld der Juden fest überzeugt und läßt ihr Elend in Zeit und Ewigkeit als gerechte Strafe Gottes stehen. Die Möglichkeit, dieser Strafe zu entrinnen, bietet sich nur der schmalen Elite der wenigen, die den Talmud aufgeben, um sich der christlichen Kabbala zu beugen, dem jüdischen Zeugnis vom christlichen Glauben.

Obwohl Reuchlin offen ausspricht, daß er dem »hochgebildeten und belesenen« jüdischen Leibarzt Kaiser Friedrichs III., Jakob ben Jehiel Loans, der ihn in das hebräische Alphabet eingeführt hat, zu großem Dank verpflichtet ist,[36] weiß er doch, daß er umgekehrt von jüdischer Seite keine positive Reaktion auf sein Unterfangen, die hebräische Sprache aufzuschlüsseln, erwarten darf.[37] Die Christianisierung des Hebräischen, so folgert Reuchlin in seinem Vorwort zum dritten Teil seiner Grammatik, ist jedoch um so nötiger, als »unsere deutschen Juden sich weigern, Christen ihre Sprache zu lehren, aus Mißgunst oder Unfähigkeit; sie berufen sich dabei auf ein Verbot im Talmud«.[38] Reuchlin selbst formuliert den Grundsatz, der seine Gegner bald zum Eingreifen gegen die Juden bewegen wird: Der Talmud steht zwischen den Juden und ihrer Bekehrung.

Wenn der schwäbische Richter in seinem Rechtsgutachten von 1510 sich dennoch gegen die geforderte Konfiszierung jüdischer Bücher ausspricht, dann argumentiert er, wie Guido Kisch überzeugend nachgewiesen hat,[39] auf der Grundlage römischen Rechts, des ›Codex Iustinianus‹. In scheinbarem Gegensatz zum Feindbild der Juden kommt er als Jurist zu dem Schluß, daß Juden keine Sklaven, sondern ›concives‹, Mit-Bürger, sind, keine Ketzer im Sinne des Kirchenrechts, sondern eine tolerierte Sekte kraft geltenden Reichsrechts. Für die Christen kann diese Rechtslage nur einen Schluß zulassen: Die jüdischen Bücher dürfen nicht ohne Überprüfung konfisziert und die Juden sollten durch Belehrung bekehrt werden, »durch vernünftig disputationen, senfftmüttigklich und güttlich«.[40]

Dieser Rechtsrat hat Reuchlin in seiner eigenen Zeit Haß eingetragen und der Verdächtigung ausgesetzt, als pflichtvergessener Richter, der sich ›gewiß‹ hat kaufen lassen, willentlich dem Gemeinwohl zu schaden. Für die moderne Forschung ist das Gutachten zur Urkunde von Aufklärung und Judentoleranz geworden, die aus dem 16. Jahrhundert heraus in das liberale Emanzipationsdrängen der Neuzeit hineinragt. Diese Sicht ist so gut fundiert, daß sie mit unserem Befund der grundsätzlichen Talmudkritik und der Anklage auf Kollektivschuld nicht zu harmonisieren und so zu verharmlosen ist. ›Selbstverständlich‹ bleibt dem Historiker immer noch das Wundermittel, seinen Autor der Inkonsequenz oder Furchtsamkeit zu zeihen, um ihn – und sich! – aus der Verantwortlichkeit wegschleichen zu lassen. Angesichts der eindeutigen Quellenzeugnisse ist jedoch weder zu moralisieren noch zu harmonisieren, sondern – mit Reuchlin – zu unterscheiden: Juden sind Bürger zweier Welten, Mitbürger im Kaiserreich, Gegner im Gottesreich. Reuchlin ist auf der Suche nach einer Zwei-Reiche-Lehre, so wie Luther später zwischen Reich Gottes und Reich der Welt zu unterscheiden wußte, wenn auch letztlich ohne Nutzen für den politischen Status der Juden. Für

Reuchlin gilt, daß die Juden »unsers glaubens fiendt« sind, doch zur gleichen Zeit sind sie rechtlich gesehen ›concives‹, also Mit-Bürger »inn ainem burgerrecht und burgfrieden«. Wenn sie sich aber nicht bessern lassen, etwa vom Wucher abstehen, erweist sich die Unterscheidung zwischen Bürgern und Mitbürgern als erheblich und die Glaubensfeindschaft als entscheidend; dann verlieren die Juden ihre Aufenthaltsgenehmigung und sind zu vertreiben: »Bessert euch oder hinaus« – »reformandi seu expellendi«.[41]

Diese Doppelsicht erklärt auch Reuchlins scheinbaren Rückzug. Auf den Vorwurf, er sei ein Ketzer und werde von Juden bezahlt, erklärt er im *Augenspiegel* (Tübingen 1511), man habe seine Verteidigung jüdischer Bücher gründlich mißverstanden. Er hat dann auch keine Bedenken, sich der Lösung anzuschließen, die »häretischen und gotteslästerlichen Teile« des Talmud zu konfiszieren und in christlichen Bibliotheken unter Verschluß zu halten.[42] Auf diese Weise gelingt es ihm, das Reichsrecht zu respektieren, der kirchlichen Inquisition Genüge zu tun ... und die Interessen von Forschung und Lehre zu wahren.[43]

Der *Augenspiegel* ist ein verläßlicher Kommentar zu dem ein Jahr zuvor eingereichten Gutachten. Der Fürsprecher der jüdischen Bürgerrechte ist nicht durch Einschüchterung in die Knie gezwungen worden. Von Anfang an ist sein Anliegen gleich geblieben: Nicht dem unbußfertigen Juden, nicht dem jüdisch gelesenen Talmud gilt seine Verteidigung, sondern dem ungehinderten Zugang zu den Quellen der christlichen Kabbala. Reuchlin verbindet den Rechtsschutz für Juden mit dem Schutzrecht der christlichen Gesellschaft. Gefordert sind deshalb Buße, Bekehrung, Besserung – für Verstockte bleibt die Vertreibung.

3. Johannes Pfefferkorn
Die schrille Stimme
eines Konvertiten

Über ein Jahrhundert lang hat die Forschung von den Traktaten des Josef Pfefferkorn (1469–1522/23) praktisch keine Notiz genommen.[44] Die wütenden Tiraden dieses Fanatikers schienen hinlänglich bekannt und ausreichend dokumentiert. Der 1505 auf den Namen Johannes getaufte Jude Pfefferkorn veröffentlichte im Jahre 1507 in Nürnberg und Köln seinen *Judenspiegel* in deutscher und lateinischer Sprache.[45] Er ließ eine ganze Reihe von Flugschriften folgen, die in verschiedenen Städten nachgedruckt wurden: *Die Judenbeichte* (1508), *Wie die blinden Juden ihr Ostern halten* (1509) und als einen ersten Kulminationspunkt *Der Judenfeind*,[46] versehen mit einem Epigramm des Kölner Professors Ortwinus Gratius (1509), der als Adressat der Dunkelmännerbriefe und Anti-Reuchlinist in der Gelehrtenwelt bald zur Zielscheibe allgemeinen Gespötts werden sollte.

Im *Judenspiegel* von 1507 stellt Pfefferkorn seine verhängnisvolle Forderung auf: Die talmudischen Bücher sind zu beschlagnahmen und zu verbrennen. Das ist auch eine der wenigen Passagen, die von Reuchlins Biographen, Ludwig Geiger, wiedergegeben werden und überhaupt das einzige Pfefferkorn-Wort, das der Nachwelt in Erinnerung geblieben ist.[47] Schon die ersten Seiten des *Judenspiegel* machen verständlich, warum Pfefferkorns moderne Leser jegliche Lust zu weiterer Lektüre verloren haben: Mit dem Haß desjenigen, der neue geistige und emotionale Wurzeln sucht, reißt sich ein Konvertit von seiner Vergangenheit los. Gestützt auf die Vulgata, den kirchlich autorisierten Bibeltext, den Reuchlin zur gleichen Zeit kritisch unter die Lupe nimmt, will Pfefferkorn seine »Brüder nach dem Fleisch« mit jener Mischung von Argumenten und Anklagen bekehren, wie man sie aus Jahrhunderten christlicher Judenmission kennt.

Vier Punkte verdienen hier besondere Aufmerksamkeit: Pfefferkorn wirbt dafür, daß die Christen, und zwar vor allem die Landesherren und Stadtväter, alle Hindernisse aus der Welt schaffen, die einer Bekehrung der Juden im Wege stehen. Das ist wahres Christenwerk. Zu diesem Zweck sollen alle hebräischen Bücher mit Ausnahme des Alten Testaments beschlagnahmt und verbrannt werden.[48] »Auf den ersten Blick wird man einwenden«, kommt Pfefferkorn späterer Kritik zuvor, »mein Vorschlag sei so unklug wie unmoralisch, da ich zu befürworten scheine, daß die Obrigkeit sich illegal und rechtswidrig (contra ius et fas) am Besitz der Juden vergreift. Und doch beharre ich darauf, daß es nicht darum geht, irgend jemandem etwas zu stehlen. Im Gegenteil, die Juden gewinnen dabei. Doch laßt mich zuerst einmal die Frage stellen: Warum werden die Juden so unbarmherzig von euch Christen verfolgt? Wie allgemein bekannt, müssen sie hohe Steuern für öffentlichen Schutz und Rechtssicherheit entrichten. Man belädt sie wie Packesel, wo sie doch von Natur aus so frei sind wie die Vögel im Wald. Das Argument, mit dem ihr eure Habgier zu rechtfertigen sucht, nämlich daß ihr so Bekehrung erzwingen wollt, ist wenig überzeugend. Ihr wollt glauben machen, daß alles, was die Juden zu erleiden haben, nur ihrer Besserung dient. Warum also solltet ihr jetzt nicht ausnahmsweise etwas tun, was euch zwar keinen Gewinn bringt, ihnen aber den Weg zum ewigen Heil erschließt?«[49]

Als erstes ist also festzuhalten, daß Pfefferkorn seinen ›Heilsplan‹, dem er seinen Platz in unseren Geschichtsbüchern verdankt, mit einer mutigen Kritik an jener Auffassung verbindet, nach der die Juden als ›Reichskammerknechte‹[50] beliebig hoch besteuert und ausgebeutet werden können.[51]

Die zweite bemerkenswerte Tatsache ist, daß Pfefferkorn vor Ausbruch des Streits Reuchlin als Autorität und verehrten Hebraisten aufgesucht und ihm bei seiner Arbeit im Studierzimmer nicht nur zugeschaut hat.[52] Er hat vielmehr die Ansichten, wie sie in *De verbo mirifico* dargelegt sind, auch grundsätzlich geteilt: Die Juden besitzen in der Kabbala den Schlüssel zur Offenbarung Gottes. Gleichfalls ist in den Buchstaben der hebräischen Schrift das Wissen gespeichert, um die Mysterien der Schöpfung zu erschließen.[53] Deshalb auch wendet sich Pfefferkorn später gegen das Gutachten der Universität Mainz, das die unterschiedslose Konfiszierung aller jüdischen Bücher, einschließlich der fünf Bücher Mose im Alten Testament empfiehlt.[54]

Drittens stehen Pfefferkorns Konfiskationspläne im Zusammenhang mit der Erwartung der umfassenden Judenbekehrung noch vor dem Tage des Gerichts. Die Verknüpfung von Judenbekehrung und Jüngstem Tag hat die Kirche schon bei Paulus im Römerbrief (Kapitel 11. 25, 26) gefunden: Blindheit hat einen Teil Israels geschlagen, so lange, bis alle von Gott berufenen Heiden eingebracht sind: »Alsdann wird ganz Israel gerettet werden.« Alle Zeichen weisen für Pfefferkorn auf das baldige Ende. Ganz gewiß steht eine gewaltige Umwälzung bevor, denn das Unrecht greift immer schneller um sich und Gottes strafende Gerechtigkeit kann nicht mehr lange ausbleiben.[55] Vor Gottes letztem Einschreiten am Jüngsten Tage werden die Juden jedoch zum rechten Glauben übertreten; er selbst, Pfefferkorn, steht nur am Anfang einer Massenbewegung. Bekehren jedoch lassen sich die Juden nur dann, wenn man sie »richtig« behandelt: Das schließt unter anderen Maßnahmen »natürlich« auch die Beschlagnahmung jüdischer Bücher ein, denn diese dient ja nur ihrem Besten, ihrem Heil.[56]

Mit dieser Endzeiterwartung steht Pfefferkorn keineswegs allein. Auch für Luther ist der Jüngste Tag in greifbare Nähe gerückt, ohne daß er allerdings die Judenbekehrung, von der Paulus im Römerbrief spricht, als Massenkonversion interpretiert. Bei Luther handelt es sich um die Bekehrung Einzelner, und die geschieht nie durch Gewalt. Pfefferkorn und Luther teilen mit der damaligen Christenheit die grundsätzliche Ambivalenz zwischen Missionsauftrag unter den Juden und Schutz der Christenheit gegen die Juden. Diese Ambivalenz spiegelt sich in der Unschlüssigkeit, entweder auf vereinte Konversionsbemühungen zu setzen oder dem angstgesteuerten Haß auf die starrköpfigen, reuelosen Juden Raum zu geben, die auch die Christen mit in ihre Schuld und Strafe ziehen. Im Lutherkapitel wird der Reformator auf diese weitverbreitete Unschlüssigkeit zu befragen sein. Schon jetzt ist darauf hinzuweisen, daß die Stoßrichtung in Luthers Kritik an der Judenbehandlung und sein Plädoyer für eine »neue Sachlichkeit« den Juden gegenüber – in seiner Schrift *Daß Jesus Christus ein geborner Jude sei* (1523)[57] – sich erheblich von Pfefferkorn unterscheidet.[58] Luther hat nie mit einer umfassenden Judenbekehrung gerechnet.[59] Was sich auf den ersten Blick als reine Quantitätsfrage darstellt, hat tatsächlich weitreichende Folgen, eben wegen des Zusammendenkens von Judenbekehrung und Weltende. Die erfolgreiche Judenmission war ein erstes Stadium auf dem Weg zum Tausendjährigen Reich, das erwartete Friedensreich der Endzeit. Die Verstockung der Juden blockierte somit den Durchbruch des Friedensreichs, die Verwirklichung von Recht und Gesetz, von Wohlstand und Gemeinwohl. Für Luther dagegen ist eine judenfreie Welt keine Vorbedingung für das kommende Gottesreich.

Eine vierte und abschließende Bemerkung führt von Köln am Vorabend der Reformation nach Nürnberg und Ingolstadt während der vierziger Jahre, in denen es zu einer neuen Eskalation des Judenhasses kommt. Pfefferkorn hatte seinerzeit die Christen unverblümt kritisiert und ihnen vorgehalten – das ist bisher in sein Profil nie eingezeichnet worden –, daß sie nur ihrer eigenen Sache schadeten, wenn sie den überall zirkulierenden Gerüchten über jüdische Ritualmorde Glauben schenken. Mit diesen Altweibergeschichten über Juden, die angeblich kleine Kinder töten, um an die Heilkraft ihres Christenblutes zu gelangen, »machen wir uns selbst lächerlich und setzen den christlichen Glauben nur Spott und Verachtung aus«.[60]

Zu Anfang des Jahres 1529 wurde zu diesem brisanten Thema eine anonyme Abhandlung veröffentlicht: *Ob es war und glaublich sey, daß die Juden der Christen kinder heymlich erwürgen und jr blut gebrauchen.*[61] Heute ist es zweifelsfrei, daß diese Schrift von Andreas Osiander (1498–1552) stammt,[62] dem Reformator Nürnbergs, Hauptstützpunkt der lutherischen Reformation im Süden des Reiches. Im darauffolgenden Jahr (1530) trat diese Stadt mit der Unterzeichnung des Augsburgischen Bekenntnisses öffentlich für die Reformation ein. Osiander hat Pfefferkorn gelesen und bedeutend genug gefunden, um ihn für die Judenverteidigung ins Feld zu führen. Seine Warnung dient dem Nürnberger als Grundlage für die Entwicklung eigener Argumente im Streit um die Ritualmorde. Für Osiander ist diese Anklage schlicht Verleumdung, nur Hetze, gegründet nicht auf Tatsachen, sondern auf Neid und Habgier.

Osiander wagt es, mit Information gegen Agitation anzugehen: Zuallererst verbietet doch Mose im Gesetz den Juden sowohl Mord als auch Blutgebrauch. Außerdem: Warum sollten die Juden zum Mittel des Totschlags greifen, bloß um an Blut zu gelangen? Und wenn es unbedingt Christenblut sein muß, wie steht es dann mit den Juden in der islamischen Türkei? Wurden nicht auch die frühen Christen des Ritualmordes angeklagt? Bei allen bislang bekanntgewordenen angeblichen Ritualmorden handelt es sich um Kriminalmorde, die Schuldigen waren nicht Juden, sondern Christen. In künftigen Untersuchungen soll man deshalb an erster Stelle jene in Verdacht ziehen, denen alles daran gelegen sein könnte, ihr eigenes Verbrechen Juden in die Schuhe zu schieben: in Geldnot geratene Feudalherren oder ihre Amtsleute; den an neuen Wundern und Attraktionen für die Pilger interessierten Klerus; in Schulden geratene Bürger;

Hexen, aber auch Eltern, die ihre Kinder zu Tode miß-
handelt haben. Sie alle haben ihre Gründe, Juden als die
Schuldigen hinzustellen.[63]

Osiander, einer der führenden Hebraisten seiner
Tage, war ein begeisterter Schüler Reuchlins und lernte
dessen Bewunderung, ja dessen Verneigung vor den verborgenen Kräften und Geheimnissen in Kabbala und
Talmud teilen. Aber, wie auch schon im Falle Reuchlins,
bedeutete das keineswegs, daß sein Bekehrungseifer
nachgelassen hätte. Vielmehr kam es Osiander darauf an,
diejenigen Talmudstellen zu berichtigen, die das Volk
der Juden in die Irre führen. In einer Beziehung allerdings läßt Osiander Reuchlin weit hinter sich, denn er
achtet nicht nur den gelehrten Rabbiner, die Baruchge-
stalt in *De verbo mirifico*, sondern er tritt auch ein für den
einfachen Juden, Spielball der abergläubischen Chri-
stenverdummung.

Gerade dieser Aspekt aber war es, der Johannes
Eck (1486–1543), Luthergegner der ersten Stunde und
Deutschlands bedeutendster Gegenreformator, in Wut
versetzte. Obwohl einst Gastgeber Reuchlins in Ingolstadt (Dezember 1519), hatte er nie dessen Respekt vor
jüdischer Gelehrsamkeit geteilt – um von den »gemeinen
Juden« völlig zu schweigen. Als Antwort auf Osiander
verfaßt Eck nun ein Buch, das den ausdrücklichen Zweck
verfolgt, dem Judenhaß in Gassen und Kneipen eine
wissenschaftliche Grundlage und somit Glaubwürdigkeit zu verleihen. Es gelingt ihm dabei, alle bisherigen
Judenpublikationen der Reformationszeit an Grobheit,
Haß und Verleumdung zu überbieten in seiner Schrift
›Wider die Verteidigung der Juden‹ – *Ains Judenbüechlins Verlegung* (Widerlegung).[64]

Die Vorgeschichte[65] dieses Pamphlets ist schnell
zusammengefaßt: Als kurz nach Ostern 1540 in Tittin-
gen, dem heutigen Titting in Mittelfranken, Juden des
Mordes an dem kleinen Michael Pisenharter angeklagt
wurden, wagen es zwei Juden aus Sulzbach bei Augsburg, ihnen zu helfen und legen zu ihrer Verteidigung ein

anonymes Gutachten aus dem Jahre 1529 vor. Der Bischof von Eichstätt, in seiner Funktion als Bischof zugleich immer auch Kanzler der Universität Ingolstadt, leitet es an seinen Vizekanzler Johannes Eck weiter. Der wittert mit seiner über zwanzigjährigen gegenreformatorischen Kampferfahrung in dem Gutachten sofort »Reformation«: Der Autor muß ein »Lutherischer predicant« sein. Mit sicherer Hand weist er auf Osiander, der sich in seiner Ketzerei so hat verblenden lassen, daß er Juden für etwas Besseres ansieht als Christen – ihm schwebten wohl Lutheraner vor, spottet Eck.[66]

In der gleichen Tonlage, in der Reuchlin im *Augenspiegel* schon Pfefferkorn als »der Tauft Jud« zu diskreditieren suchte, nennt Eck den Reformator Osiander einen »Judenschützer« und »Judenvater«, der die Bosheit besitzt, die Obrigkeit der Habgier anzuklagen, anstatt den Juden ihre Schuld vor Augen zu halten. Sie haben Osiander ganz bestimmt die Taschen mit einem gehörigen Anteil vom Goldenen Kalb gefüllt. Der Verdacht auf Ritualmord ist gut begründet, denn schließlich befehle der Talmud den Juden ausdrücklich, Christenkinder zu töten.[67] Wenn Osiander nun einwendet, kein getaufter Jude habe dergleichen je bezeugt, so beweist die Berufung auf Pfefferkorn gar nichts. Dieser getaufte Jude kann auch nur für sich sprechen.[68] Ebenso unzulässig ist es, Reuchlins Autorität in die Diskussion einzubringen. Aus dem *Augenspiegel* geht schließlich zweifelsfrei hervor, daß »der ehrlich Doktor« sich in seinem Judenbild von Pfefferkorn nur in einigen Details unterscheidet. Selbst Reuchlin habe niemals bestritten, daß es gegen die Christen gerichtete Talmudgebete gibt.[69]

Eck hat von einem Ritualmordfall des Jahres 1503 aus Freiburg Kenntnis[70] und außerdem von vielen anderen »wohl bezeugten« aktenkundigen Fällen. Warum wurden denn sonst die Juden aus so vielen Städten und Ländern vertrieben? Eck berichtet von den Vertreibungen der letzten fünfzig Jahre, angefangen von der spanischen Ausweisung im Jahre 1492 bis zu seinen Tagen.

Der Judenhaß wird legitimiert durch den Verweis auf eine ungebrochene Tradition von Jahrhunderten: Unbeirrt und ohne Fehl hat das Gewissen der Christenheit gesprochen.

Der Höhepunkt des Zorns ist erreicht, als Eck in einem einzigen Satz die Juden neunzehnfach begeifert und mit der vernichtenden Spitze endet: »ein gotslesterlich Volck«.[71] Recht unerwartet für alle, die Luther als Judengegner kennen, zögert Eck nicht mit dem Rückschluß: Der »Judenvater«, der die Juden reinwaschen will, stammt aus dem Wittenberger Nest und ist die jüngste Frucht vom Stamme Luthers.[72] Aus euch, ihr Lutheraner, spricht der Teufel, der nichts anderes will, als die Juden von ihren Morden freisprechen.[73] Die Zusammenschau von Reformation und »Judenbosheit« ist keine Erfindung Ecks, beide wurden bislang jedoch umgekehrt verkoppelt. Josel von Rosheim, der erste anerkannte Vertreter der Judenschaft in Deutschland, berichtet von Vorwürfen auf dem Reichstag zu Augsburg 1530, daß die Juden schuldig seien am Ausbruch der Reformation.[74] Eck hingegen dreht den Spieß um und verweist auf das von Luther verursachte geistige Chaos: Luthersohn und »Judenvater« sind bloß zwei Aspekte ein und derselben Sache. Starrköpfiges Beharren auf dem Schriftprinzip führt zur Überbewertung des hebräischen Alten Testaments[75] und zur ketzerischen Auslieferung an den tötenden Buchstaben der Juden.

Eck nimmt hier eine Gleichsetzung der lutherischen Reformation mit Judenliebe vor, die sich, zumindest was Luther betrifft, nicht halten läßt. Gleichzeitig macht er aber deutlich, daß es ebensowenig zulässig ist, sich bei dem Thema ›Wurzeln des Antisemitismus im Zeitalter von Humanismus und Reformation‹ auf Luther zu beschränken.

4. Erasmus von Rotterdam
Die Grenzen der Toleranz

Für die Haltung des Erasmus gegenüber den Juden sind vor allem drei Gesichtspunkte von Bedeutung: Da ist erstens die Tatsache, daß die Forschung die Ergebnisse noch nicht verarbeitet hat, die Guido Kisch zum Thema Erasmus und das Judentum vorlegen konnte.[76] Es ist gewiß keine Kleinigkeit, dessen Urteil, zusammengefaßt in dem Wort vom »tiefverwurzelten, maßlosen Judenhaß« des Erasmus mit unserem ebenso tiefverwurzelten Respekt vor dem christlichen Humanismus, der *philosophia christiana,* des großen Niederländers zu vereinbaren.[77] Diese Entdeckung harmoniert nicht mit seinen Friedens- und Toleranzbestrebungen und kompromittiert geradezu sein Plädoyer für die alle Schranken überwindende neue Bildung als Grundlage unverfremdbarer Menschenrechte. Und doch kann von Übertreibung keine Rede sein.

Erasmus verdächtigte tatsächlich die Juden einer kollektiven Verschwörung mit Pfefferkorn im Bunde und beschuldigte sie, Drahtzieher des Bauernaufstandes zu sein.[78] Voller Lob kann er in einem Brief aus dem Jahre 1516 (1517?) feststellen, Frankreich sei der »reinste und blühendste Teil der Christenheit, weil einzig Frankreich nicht mit Ketzern, böhmischen Schismatikern, mit Juden und halbjüdischen Marraños infiziert ist«.[79] Ein getaufter Jude wird nie ein ganzer Christ, er bleibt ein halber Jude. Der Schurke Pfefferkorn ist mehr als ein halber Jude;»wenn man ihn operiert, dann springen sechshundert Juden heraus«.[80] Ist eine Person dem Erasmus mißliebig, wie im Falle des päpstlichen Nuntius Aleander, liegt ihm die Erklärung auf der Hand: Der Mann muß Jude sein. Seine Wut auf Pfefferkorn gilt nicht nur ihm als Einzelperson. Der ›Taufjude‹ belegt vielmehr die Gefahr der Judentaufe überhaupt: Wir sollten vorsichtig sein, Juden in die Gemeinschaft der Kirche aufzunehmen.[81] Um die neue Welle des Judaismus einzudämmen, ist Erasmus sogar bereit, das Alte Testament fahren zu lassen. Auf diese Weise bleiben das Neue Testament und die Einheit der Kirche unversehrt: »Wenn nur die Kirche dem Alten Testament nicht so große Bedeutung beimessen wollte! Es ist ein Buch der Schatten, das auf Zeit, nur bis zur Ankunft Christi gegeben ist.«[82]

Die zweite Beobachtung steht im Zusammenhang mit der nun anstehenden Frage, wie die Grenzen der Toleranz für Erasmus verlaufen. Mit dem modernen, aufgeklärten Toleranzideal – unteilbare Menschenrechte über alle Rassen und Religionen hinweg – hätte Erasmus kaum Geduld. Es geht ihm weniger um die Freiheit des einzelnen als um die Freiheit des einzelnen Wissenschaftlers; auch nicht um Luthers riskante Freiheit eines Christenmenschen, sondern um den gesicherten Freiraum des christlichen Gelehrten, seine Forschungsergebnisse zu veröffentlichen, in Unabhängigkeit von Schulen und Schulmeinungen, unbedroht von Kirche und Politik. Vor diesem Hintergrund erklären sich auch die scheinbar widersprüchlichen Urteile, die Erasmus innerhalb von nur drei Jahren über Reuchlin gefällt hat. Im Jahre 1519, in der ersten Auflage seiner in Löwen erschienenen *Colloquia*, betont er ausdrücklich: »Ich bin kein Reuchlinist ... nie habe ich ihn unterstützt, und er hätte es auch gar nicht gewollt.«[83] Als aber im Sommer 1522 Reuchlin stirbt,[84] fügt Erasmus der erweiterten zweiten Auflage eben dieser *Colloquia*, die in Basel schon im Druck ist, rasch noch seine ›Apotheosis Capnionis‹ hinzu, die Himmelfahrt und Verherrlichung Reuchlins. In diesem ›In memoriam‹ wird der Verstorbene als ein zweiter Hieronymus verehrt, als Nachfolger des großen Philologen und unerschrockenen Bibelexegeten unter den Kirchenvätern – für Erasmus das wohl höchste denkbare Lob.[85]

Erasmus ist weit davon entfernt, Reuchlin als verdienstvollen Vorkämpfer der jüdischen Gelehrsamkeit darzustellen. Er präsentiert ihn vielmehr als Opfer, kaum verhüllt eben als Opfer der Juden. Vor dem Satan sind hervorragende Geister nie sicher, auch heutzutage nicht. Er geht genauso vor wie einst gegen Jesus Christus, und seine Mittelsmänner bleiben Schriftgelehrte und Pharisäer, in welchem Gewande auch immer.[86] Erasmus verehrt in Reuchlin nicht den Hebraisten und christlichen Kabbalisten, sondern den Vertreter unbestechlicher Quellentreue, der wie er selber den Anfeindungen der dominikanischen Obskurantisten ausgesetzt war.[87] Zweifellos ist Erasmus ein Vertreter der Toleranz – wider die inquisitorische Bildungsfeindlichkeit. Seine Toleranz war jedoch zu sehr rein intellektueller Art, um sich mäßigend auf den Judenhaß auszuwirken. Wissenschaftliche Toleranz und christliche Duldsamkeit führen ihn nicht zur Judenduldung und Judenemanzipation. Der kirchenkritische Erasmus prägte den vielzitierten Satz: »Wenn Judenhaß der Ausweis echter Christen ist, dann sind wir alle vorzügliche Christen – »Si christianum est odisse Iudeos, hic abunde Christiani sumus omnes.«[88] Doch diese Kritik wurde nie Kriterium, der Vorwurf gegen die Kirche nie Entwurf einer neuen Judensicht.

Schließlich der dritte Gesichtspunkt: Das ganze Denken des Erasmus ist von einem virulenten theologischen Antijudaismus durchzogen.[89] Hiermit ist keine soziale oder politische Judenfeindlichkeit gemeint, geschweige denn ein rassistischer Antisemitismus. Im Zuge seiner Kampagne gegen religiösen Formalismus mit einer Schwemme von Ge- und Verboten werden ihm ›Pharisäer‹ und ›Scholastiker‹ Synonyme und ›jüdisch‹ austauschbar mit ›legalistisch‹.[90] Dieser Antijudaismus zielt zunächst überhaupt nicht auf Juden, sondern auf ein grundsätzliches, damals brennendes Reformthema: die Spannung zwischen veräußerlichter Religion und innerer Wahrheitsfindung, zwischen leuchtenden Kerzen und brennenden Herzen. Und dennoch enthüllt die

Selbstverständlichkeit und Häufigkeit, mit der die Begriffe ›pharisäisch‹, ›jüdisch‹ und ›judaistisch‹ polemisch gezielt eingesetzt werden, wie stark dieser Sprachgebrauch einer Erfahrungswelt entspringt, die mit der dauernden Bedrohung durch das verstockte Israel rechnet. Bedroht sind für Erasmus die Grundwerte von Wissenschaft, Gesellschaft und Religion – sein Einsatz zielt auf unabhängige Forschung, gebildete Gesellschaft und wahre Frömmigkeit.

Am Ende überrascht nicht mehr, daß das Dreieck von Friedensliebe, Eintracht und Gelehrsamkeit allein für die Anwendung in der christlichen Gesellschaft konzipiert ist. Toleranz ist Christentugend, die dem Judentum als »verderblichster Plage und bitterstem Feind der Lehren Jesu Christi«[91] in der Gesellschaft keinen Platz läßt.

Als Erasmus vor aller Welt erklärte, er sei kein Reuchlinist, fürchtete er offenbar einen Häresieprozeß. Er sprach aus Angst und sagte dennoch die Wahrheit: Er war kein Reuchlinist.[92] Erasmus sorgte sich vor allem, daß mit der Renaissance der antiken Literatur sowohl das Heidentum[93] als auch das Judentum zu neuer Geistesmacht heranwachsen würde.[94] Mit der Wiederentdeckung des Hebräischen[95] stand jetzt die »verderbliche Plage« drohend ins Haus.

5. »Bereitet dem Herrn den Weg«

Es ist keine Übertreibung zu behaupten, daß sich im Mittelalter und in der frühen Neuzeit die Wellen religiöser Vertiefung und der Ruf nach Reform stets unheilvoll für die Juden ausgewirkt haben. Im 16. Jahrhundert ist das, soweit ersichtlich, drei Hauptfaktoren zuzuschreiben, deren Zusammenwirken zu einer erneuten Eskalation der antijüdischen Polemik geführt hat.

Der publizistische Kampf in den Flugschriften, der sich bis zum Ausbruch des sogenannten Deutschen Bauernkriegs allmählich zur revolutionären Agitation zugespitzt hatte, wurde in immer neuen Varianten von dem einen Ziel vorangetrieben: Erneuerung der Gesellschaft durch Gottes Gerechtigkeit. Zu den massiven Beschwerden über die politische Erpressung und finanzielle Aussaugung des Reichs durch ›Rom‹ trat eine wachsende Kritik an der eigenen Obrigkeit, und zwar besonders wegen ihrer alle Lebensabläufe umgreifenden Steuerpolitik – von der Vermögens- bis zur Biersteuer, von der Münzverschlechterung bis zur Marktmanipulation von Maßen und Gewichten. Noch ein Wesentliches kam hinzu: Klagen gegen Wucher, die ›Anpassung‹ des Zinssatzes an den Notstand des Geldleihers, hören wir aus allen Schichten der Bevölkerung, von den Gelehrtenstuben bis zur Weinschenke.[96] Da Zinsnehmen offiziell nur den Juden gestattet war, Kaiser und Patrizier sich aber den Judenschutz gut bezahlen ließen, wurden Judenschutz mit Wucherschutz und Wucher mit der verhaßten Steuer zunehmend gleichgesetzt. In agitatorischen Flugschriften, die den Unwillen des Volkes gegen die Finanzpolitik von Landesherren und Stadträten mobilisieren wollen,[97] erscheinen Juden immer als unerträgliche Bedrohung für das Gemeinwohl.[98] Sie trachten uns nach Gut und Leben, sie lechzen sogar nach dem Blut unserer Kinder.[99] Osianders gewagte Verteidigung war genauso unzeitgemäß wie Ecks Klage auf Kindermord elektrisieren mußte, die allgemeine Unzufriedenheit in einer Stadt oder Region an den Juden zu entladen.

Die Vorwürfe wegen Ausbeutung und Mord, die ja nicht nur von der Hefe des Volks gehegt, sondern eben auch vom denkenden Teil der Nation tradiert wurden, sind fest verwurzelt in jener Urangst, daß die Juden sich mit den Mächten der Endzeit verbündet haben. Bereits der Kirchenlehrer Hieronymus hatte die Geschichte der Juden mit dem Wüten des Urbösen in der Endzeit, mit dem Antichrist, zusammengeschaut und – mit seiner hohen Autorität – diese Verklammerung dem Mittelalter eingeprägt. Am Ende des Mittelalters verdichten sich die Gerüchte, daß der Antichrist bereits geboren und in Jerusalem beschnitten sei. Als Antibild zugleich das Abbild Jesu, findet auch er die ersten Anhänger unter den Juden. In dem für Analphabeten grausam eindeutigen Bildbuch ›Der Antichrist‹ – 1480 in Straßburg erschienen und oft wieder aufgelegt – sind es bezeichnenderweise Juden, die sich als erste um ihn scharen und verkünden, »yr got sy kumen«.[100] Die vernichtenden Mächte der Endzeit, Gog und Magog, von denen der Prophet Hesekiel berichtet (Kapitel 38, 39), stehen für das befürchtete Überfluten der christlichen Kultur durch das Wiederauftauchen der zehn verlorenen Stämme Israels. Falls aber Hesekiel so zu verstehen sei, daß er den Einbruch der blutrünstigen Ungläubigen, der Mohammedaner und Türken prophezeit hat, so zielen Gog und Magog dennoch auf die Juden, nämlich auf die bereits im Reich ansässigen, die natürlichen Verbündeten und Spitzel der Ungläubigen.[101]

Die weitverbreitete Annahme, diese Ausmalung des Antichrist sei nur Volkslegende, nur Aberglaube des kleinen Mannes, ist nicht haltbar. Der ›Endchrist‹ ist zugleich ein Produkt der gelehrten Schriftauslegung von Exegeten, die weniger der Willkür und Spekulation verfallen waren, als es aus heutiger Perspektive erscheinen mag. Sie verstanden sich vielmehr als ›speculatores‹,[102] als die scharfäugigen Wächter auf den Stadtmauern des wahren Jerusalem, beauftragt, die Zeichen der Zeit im Licht der biblischen Prophetie zu enträtseln.

Im Klima einer gesteigerten Erwartung der nahenden Endzeit treten die Züge des Greuel speienden Antichrist bedrohlich hervor und erfordern die umgehende Mobilisierung aller christlichen Kräfte. Wie im Falle Pfefferkorns, konnte das eine massive Kampagne für die Judenbekehrung auslösen. Bekehrung ist aber das Vorspiel zur Vertreibung. Wenn nämlich die angestrengten Bemühungen endzeitlicher Mission fehlschlagen, bleibt der vom Antichrist gehetzten Christenheit nur die radikale Abgrenzung im Vollzug der Vertreibung.[103] Die Flugschriften jener Zeit führen diese Mischung von Erwartung, Angst und Hoffen anschaulich vor Augen.

Die unmittelbar bevorstehende Endzeit erfordert umgehend Reform: »Bereitet dem Herrn den Weg, und machet richtig seine Steige!« (Matthäus, Kapitel 3, 3). Wie einst Johannes der Täufer aufrief, die erste Ankunft des Herrn anzubahnen, so muß auch jetzt die Kirche auf die letzte Ankunft Christi ausgerichtet werden.[104] Da die Vorbereitung auf die Wiederkunft Christi nur in der Kraft des Geistes zur belebenden Kirchenreform führen kann, gewinnt das alte Wort des Apostels Paulus im zweiten Brief an die Korinther (Kapitel 3, 6) neue Sprengkraft: »Der Buchstabe tötet, aber der Geist macht lebendig.« Obwohl am Vorabend der Reformation Bibelgelehrte wie Reuchlin, Erasmus oder der junge Luther diese Stelle jeweils verschieden akzentuiert hatten, kristallisiert sich um dieses Wort dennoch ein gemeinsamer, auf die Autorität des Apostels gegründeter Reformkonsens, der die Mißstände in der Kirche als Folge von Vergesetzlichung und Veräußerlichung mit dem Bannspruch ›Judaismus‹ belegte: Die Verirrungen der mittelalterlichen Kirche sind jüdischem Geist und Wesen entsprungen.

Das neue Aufbrechen von sozialer Gärung und

apokalyptischer Spannung gießt Öl in die nie ausgetrete-
nen Flammen des mittelalterlichen Judenhasses.[105] Die
paulinistische Reformtheologie konnte dem Antijudaismus als ideologische Bestätigung dienen, welche die Zeiten zäh überdauern wird, auch wenn das soziale und
endzeitliche Konfliktbewußtsein zeitweilig an Brisanz
verliert.

Der neue Paulinismus ist aber nicht Ursache für
die eklatante Verschlechterung der sozialen und politischen Lage der Juden im Reich. Ein Blick auf die Daten
der Judenvertreibungen im Deutschen Reich zeigt nämlich, daß nach 1520 nur noch eine Handvoll von Städten
Ausweisungsmandate erließ (Prag 1541, Kaufbeuren
1543/1630, Schweinfurt 1555 und Nordhausen 1559),
während im Zeitraum von 1388 (Straßburg) bis 1520
(Weißenburg) etwa neunzig Städte diese Maßnahme
ergriffen hatten.[106] Schon der Chronologie wegen entfällt
das Reformdrängen des biblischen Humanismus als
Grund für die Stadtvertreibungen gegen Juden.

Aus der Mitverantwortlichkeit für das Entstehen
des modernen Antisemitismus ist das 16. Jahrhundert
damit aber nicht entlassen. Humanismus und Reformation, das Eindrucksvollste, was Europa nördlich der
Alpen gezeitigt hat, haben zwar die Wurzeln des Antisemitismus nicht gelegt, sie haben aber auch ihre Chance
als kritische Erneuerungsbewegung nicht ergriffen. Der
Judenhaß wurde nicht wie vieles andere als »mittelalter-
lich« ausgemacht, gebrandmarkt und ausgehoben.
Unwidersprochen konnte der Kaiser vom Reichstag in
Augsburg aus am 4. September 1530 per Erlaß anordnen,
daß alle jüdischen Männer sich mit einem gelben Ring
an Mantel oder Kappe auszuweisen hätten.[107] Diese
Maßnahme ist keineswegs als neue Schikane gegen Juden zu verstehen. Sie setzt vielmehr das Mittelalter ungebrochen fort, jetzt angepaßt an die Verwaltungserforder-
nisse des Reiches zum Zwecke der Vereinheitlichung
bestehender Landesgesetze.

6. Luther erhebt seine Stimme

Das Thema ›Luther und die Juden‹ erfährt im Teil III eine eigene Untersuchung: Einzelzüge haben so sehr die Emotionen auf sich gezogen, daß das Gesamtbild Luthers zu entgleiten droht.[108] An dieser Stelle muß eine Skizze gewagt werden, die Luther in seinem Verhältnis zu Reuchlin und Erasmus zeichnet und ihn somit in das Reformdrängen seiner Zeit hineinstellt. Hier stößt man sofort auf die Frage, ob Luthers Stimme immer eindeutig gewesen ist, ob er nicht vielmehr hin- und hergerissen war zwischen Hoffnung und Resignation, in der biblischen Erwartung einer Judenbekehrung und dem haßgeladenen Aufruf zum Judenkampf ohne Kompromisse.

Im Gegensatz zur öffentlichen Meinung, die Luther als Antisemiten gebrandmarkt und ihm Geschichtsmächtigkeit bis zu Hitler zugesprochen hat, erscheint er in der Lutherforschung – bereits ein Jahrhundert lang – als ein Mann des Wechsels zwischen den Rollen des Judenfreundes und Judenfeindes. Im Jahre 1523 engagiert er sich tatsächlich für die Beseitigung von Hindernissen, die einer Judenbekehrung im Wege stehen. Seine schroffen Schriften der dreißiger und vierziger Jahre hingegen überhäufen die Juden mit Schimpf und Schande wegen ihrer »verstockten Blindheit«. Dieser Wandel ist der modernen Forschung sowenig entgangen wie den Juden seiner Zeit. Wandel belegt jedoch keineswegs schon Umdenken und muß deshalb nicht bedeuten, daß Luther seine Meinung gegenüber jenen Juden geändert hätte, die ihre religiöse Identität bewahren und dem Schoß der christlichen Kirche fernbleiben wollten.

Am 11. Juni 1537 lehnt Luther es höflich aber strikt ab, sich am sächsischen Hof bei Kurfürst Johann Friedrich für die Juden zu verwenden, die – laut Erlaß vom August 1536 – Kursachsen zu verlassen hatten.[109] Die »Brüderlichkeit«, die er im Jahre 1523 noch propagiert hatte,[110] erwies sich als Bekehrungsmittel nicht nur unwirksam, sie schien sogar dazu angetan, die Juden in ihrem Irrtum eher zu bestärken. Die Tatsache, daß Jesus Christus ein Jude war, 1523 noch als christliche Selbstkritik mit deutlicher Spitze gegen die Papstkirche formuliert,[111] wird jetzt direkt gegen die Juden eingesetzt: Das vorchristliche antijüdische Sentiment, so argumentiert Luther, der Haß der Heiden auf die Juden, läßt das Gotteswunder um so heller strahlen, daß Nichtjuden bereit waren, Jesus, den Juden, als ihren Erlöser anzuerkennen.[112] Wenn sogar aus Heiden Gotteskinder gemacht werden, sollten die Kinder Abrahams nicht abstehen und ihre Messias-Erwartung aufgeben. Gott ist bereits Mensch geworden und hat sein unsichtbares Reich aufgerichtet. Zum messianischen Reich führen nur Bekehrung und Taufe. Die Juden sollen endlich aufhören, nach einem Ende ihrer Zerstreuung über die ganze Erde Ausschau zu halten. Zu diesem Thema kündigt Luther eine besondere Abhandlung an, ein Vorhaben, das schließlich mit der Abfassung von vier Judenschriften[113] ausgeführt wird,[114] deren Heftigkeit nur Johannes Eck erreicht.[115] Die Grundlage von Luthers Antijudaismus ist die Überzeugung, daß seit der Ankunft Christi auf Erden die Juden als Juden keine Zukunft mehr haben.

Erasmus hatte gute Gründe zu behaupten, er sei kein Reuchlinist. Das gleiche gilt für Luther. In seinem Gutachten über den Reuchlin-Streit, wohl vom Februar 1514,[116] erklärt er zwar Reuchlins Rechtgläubigkeit über jeden Verdacht erhaben, begründet jedoch seine Kritik an den Bücherverbrennungen völlig anders als Reuchlin:[117] Da die Propheten vorhergesagt haben, daß die Juden ihren eigenen Herrn und König immerdar verfluchen und mit Schmähungen überhäufen werden, kann sogar ein Theologiestudent im ersten Semester verstehen, daß man Gott widerspricht und ihn Lügner heißt, wenn man plant, Juden von ihrer Blasphemie abzubringen. Das Unterfangen der Dominikaner ist nicht zuerst widerrechtlich, sondern widergöttlich. Und wenn Judenbekehrung bezweckt wird, ist mit Bücherverbrennung, Verbannung und ähnlich äußerlichen Maßnahmen überhaupt nichts getan, denn Gott bekehrt von innen.[118] Nicht erst der mittlere und späte, schon der jüngste uns greifbare Luther vertritt diese Auffassung, daß den Juden als Juden keine Zukunft beschieden ist. Obwohl er also in der Ablehnung äußeren Zwangs mit Reuchlin auf einer Linie liegt, besteht der wesentliche Unterschied, daß Reuchlin den Talmud gegen den Blasphemievorwurf – gegebenenfalls durch Reinigung einzelner Passagen – in Schutz nimmt, während Luther diese »Blasphemie« als von Gott gefügte Tatsache ansieht, an der von Menschen nichts zu bessern ist.

Ein weiterer Grund, warum Luther kein Reuchlinist war, ist seine ausdrückliche Skepsis der Kabbala gegenüber.[119] Ungeachtet des lebhaften Interesses, das Reuchlins *De verbo mirifico* bei ihm weckte, und seiner unverzüglichen Lektüre von *De arte cabalistica*[120], lehnt er die Kabbala als unwissenschaftlich und untauglich für die zuverlässige Exegese ab. Nur neugierige Müßiggänger, »curiosi et ociosi«[121], wünschen sich mit ihr abzugeben. Er hält die Ansicht, die hebräischen Buchstaben seien geheimnisvoll gefüllt mit göttlichen Kräften, für Aberglauben. Wirken kann nur das offen bezeugte Gotteswort, das im rechten Glauben empfangen wird.

Was die Wissenschaftsmethode angeht, so trennen ihn von Reuchlin Welten. In seiner modern-fortschrittlichen Ausbildung an der Universität Erfurt hatte Luther gelernt, den intendierten Wortsinn, die »proprietas verborum«, aus dem inhaltlichen Kontext im grammatikalischen Zusammenhang zu ermitteln. Auch als junger Bibelausleger, zur Lehre nach Wittenberg berufen, ist er dieser sogenannten nominalistischen Tradition treu geblieben. Wenn Luther die Kabbala als verläßliches exegetisches Hilfsmittel ablehnt, so geschieht das aus den gleichen Gründen, aus denen heraus er später die symbolische Überhöhung der Einsetzungsworte des Abendmahls ablehnen wird.[122] Wenn der Priester im Namen Christi sagt: »Dies ist mein Leib«, erinnert er nicht an die ferne Vergangenheit des historischen Jesus oder an die zukünftige Wiederkehr des himmlischen Christus, sondern er sagt aus, was ist – der Herr ist gegenwärtig. Sätze, eben auch biblische Sätze, sind nicht mit Tiefsinn, sondern mit Grammatik im Kontext zu deuten.[123] Die nominalistische Auslegungsmethode lehnt alle Wortmagie grundsätzlich ab. Zeitlebens ist Luther dabei geblieben.

Luther ist kein Reuchlinist. Ebensowenig ist er ›Lutheraner‹. Diese überraschende Feststellung verlangt zumindest eine kurze Erklärung. Der Gegenreformator Johannes Eck betrachtete den Reformator Andreas Osiander als »Luthersohn« und »Judenvater«, den natürlichen Trieb vom Stamme Luthers. Diese These – im Sinne Ecks: diese Entlarvung – ist unhaltbar. Luthers Rezepte und Kuren mögen sich geändert haben, und verändert haben sie sich beträchtlich, doch seine Diagnose bleibt dieselbe wie zu Anfang: Die Juden sind für ihre Gotteslästerung mit Blindheit und Zerstreuung bestraft. Nie werden sie ein eigenes Land besitzen.[124]

Osiander jedoch ist kein vereinzelter, Nürnberger Abweichler von der Wittenberger Linie. Es gibt Grund zu der Annahme, daß Melanchthon, Reuchlins Großneffe, ebenso unglücklich war über die harten Judenschriften des späten Luther wie einige der führenden Stadtreformatoren. Er versuchte einen Eklat zu vermeiden, indem er den Beweis dafür unterdrückte, daß Osiander dem Juden Elias Levita, dem hochgebildeten venezianischen Gelehrten, ein Entschuldigungsschreiben für Luthers Haßtiraden geschickt hatte.[125]

Noch erhellender ist die Haltung von Justus Jonas (1493–1555)[126], der Luthers lebenslanger Kollege, Trauzeuge und, hier vor allem wichtig, der Beauftragte für die lateinische Übersetzung und damit europäische Verbreitung von Luthers deutschen Judenschriften war. Der unabhängige Standpunkt des Justus Jonas ist wohl deshalb unbemerkt geblieben, weil er Luthers Sicht in einem Maße lobt und empfiehlt, daß man von seiner Übersetzung nichts anderes als die getreue Wiedergabe von Luthers Stellungnahme zu den Juden erwarten muß. In zunehmendem Maße wagt er es jedoch, an entscheidenden Punkten eigene Intentionen mit dem Luthertext zu verbinden, und schließlich bringt er sogar eigene Ergebnisse vor, die moderner Bibelauslegung nahekommen. Im Vorwort zur 1524 erschienenen Ausgabe seiner lateinischen Übersetzung von Luthers Abhandlung aus dem Jahr zuvor[127] tritt das Eigene seiner Haltung noch nicht deutlich zutage und ist lediglich eine Frage der Akzentsetzung. Jonas unterstreicht hier das gemeinsame Schicksal von Juden und Christen, beide gleich irregeführt, die Juden von talmudischen Spitzfindigkeiten und die Christen von scholastischen Subtilitäten.[128]

Ebenso wie die Christen durch die Wiederentdeckung der Heiligen Schrift für die Reformation gewonnen werden, so werden auch die Juden das Licht der Wahrheit erblicken, wenn sie sich nur dem unverfälschten Zeugnis von Mose und den Propheten wieder anvertrauen. Christen sollten für die Juden beten als Mitbrüder und sich als Schicksalsgenossen wissen, »weil auch unter uns nicht alles christlich ist, was sich christlich gibt.«[129] In diesem neuen Kontext kommt dennoch eine traditionelle Spitze zum Zuge, wenn er die Rabbiner der bewußten Irreführung beschuldigt, daß sie die Juden mit ihrem Wahn vom Fortbestehen des davidischen Reiches betrügen: »Wollen sie uns glauben machen, dieses Reich sei auf dem Mond zu suchen?«[130]

Als Luther im Jahre 1538 seine Stimme erhebt gegen die ›Sabbather‹,[131] gegen judaisierende Christen, die sich an das jüdische Kultgesetz binden, übersetzt Jonas auch diese Schrift ins Lateinische. Hier greift er so eigenständig ein, daß er kühn über Luthers Haltung hinweggeht, die in ihrer offensichtlichen Verhärtung schon einen Vorgeschmack auf seine künftigen, unnachgiebi-

gen Judenschriften vermittelt. Jonas bemüht sich nach
Kräften, Luthers Verärgerung und Empörung über die
jüdische Mission auszugleichen; so entsteht gegenüber
Luther ein völlig neues, positives Bild von den Juden.
Die Papisten erscheinen nun unendlich viel weiter von
der Heiligen Schrift entfernt als selbst der unwürdigste
Sproß vom Stamme Abrahams. Die Wiederentdeckung
des Evangeliums in »unseren Tagen« hat die Augen für
die Tatsache geöffnet, daß zu keiner Zeit größere »Dok-
toren der Theologie« gelebt haben als damals unter dem
Volk Israel.[132] Die reformatorische Erschließung des
Evangeliums führt zu der Einsicht, daß wir Christen
Gäste in Abrahams Haus sind. Zuvor gottlose Heiden,
sind wir, spät berufen, von Gottes Verheißung erfaßt. Mit
Paulus (Römerbrief, Kapitel 11, 17) versteht Justus Jonas
die Christen als auf den »Baum Israel« gepfropfte Heiden, zu einem Leib mit den Juden vereint, gemeinsam
unter dem einen Haupt Jesus Christus.[133]

Jonas liegt wiederum völlig auf einer Linie mit
Luther, dem jungen wie dem alten, wenn er die Kirche
zur Judenmission verpflichtet: Wir sind es den Juden
schuldig, möglichst viele zu retten »wie von einem sin-
kenden Schiff«.[134] Und doch treffen wir, anders als bei
Luther, auf ein neues Wissen um eine gemeinsame Vorgeschichte und um eine gemeinsame Zukunft. Nicht die
Judenbekehrung, sondern die Heidenberufung ist sein
Schlüsselgedanke. Die durch Christus ermöglichte Aufnahme in das Volk Abrahams, zu einem Leib zusam-
mengefügt, ist das in jener Zeit unerhörte Thema reformatorischer, wenn auch nicht Lutherscher Judenschau.

Die hier entfaltete Differenz ist nicht nachträglich
aus moderner Geschichtserfahrung an die Quellen her-
angetragen, das Thema ist vielmehr explizit zwischen
beiden verhandelt worden: Luther schreibt an Justus
Jonas am 21. Dezember 1542 nach Halle, daß er, entge-
gen dessen Rat, nicht geneigt ist, zu schweigen oder gar
den anderen Weg des Jonas mitzubeschreiten.[135] Diesen
anderen Weg hat er jedoch weder als unreformatorisch

abgewehrt noch als widerchristlich verworfen. Die Wittenberger Reformation eröffnete zwei Wege der Judenschau, ohne daß es darüber zur Spaltung im eigenen Lager gekommen wäre. Luther blieb dabei: Bekehrung ist der einzige Weg zum Heil, doch eine Massenbekehrung der Juden ist nicht zu erwarten. Die Verheißungen Abrahams gelten nicht für Blut und Samen, die Heilsgeschichte bezieht sich nicht auf Juden als Juden: Christen können »mit gutem Gewissen an ihnen verzweifeln«.[136] Ihre Heimatlosigkeit ist ihm so unzweifelbares Zeugnis der Verwerfung, daß er schwören kann: Falls je die Zerstreuung ihr Ende nimmt und die Rückführung nach Jerusalem sich ereignet, dann folgen die Christen ihnen nach und wollen auch wir »Jüden werden«.[137]

Zusammenfassend ist festzustellen, daß im 16. Jahrhundert auch nach Ablauf der großen spätmittelalterlichen Vertreibungswelle die Judenfrage im Reich so virulent und drängend ist wie eh und je. Die Gewaltmaßnahmen, die Massenvertreibungen oder auch Zwangsbekehrungen, ereigneten sich zwar überwiegend vor der Jahrhundertwende, doch Humanismus und Reformation setzten den Kampf mit eigenen Mitteln fort. Sie konnten ihre Hoffnungen auf einen Neubau von Kirche und Gesellschaft nicht entfalten ohne geistige Generalabrechnung mit Juden und Judentum. Ja, die Intensivierung und Vertiefung des ideologischen Kampfes ist geradezu ein Merkmal der angehenden Neuzeit. Beide Erneuerungsbewegungen, bald auf vielfache Weise miteinander verschlungen, diagnostizieren das Leiden der Zeit als ihre Veräußerlichung in jeder Hinsicht. Der Weg zur Reform verlangt die Abkehr vom Judaismus, der das ganze Leben durchsetzt – in Kirche und Kloster, in Schule und Universität, in Reichsstadt und Bischofssitz. Selbst dort, wo die hebräische Tradition, wie bei Reuchlin, als Bildungsmacht Anerkennung findet, muß sie dem Judentum entrissen werden, da sie nur auf christlichem Boden gedeihen kann. Für Erasmus gilt sogar diese Tradition selber als Ballast und als gesetzliche Fessel, die zugleich mit der Scholastik abzuwerfen ist.

Luther nimmt eine Sonderstellung ein. Das Alte Testament steht hoch im Kurs als gültiges und offenkundiges Gotteswort, das selbst dem kabbalistischen Magier keine Geheimnisse vorbehalten hat. Er will auch nicht das Neue Testament vor dem Alten schützen, er sucht vielmehr die Schrift in ihrer Ganzheit zurückzugewinnen aus der Verkehrung durch den Judaismus, sei es durch die rabbinische, sei es durch die scholastische Schriftauslegung. Deshalb schrieb er sowohl gegen die Juden und »ihre Lügen« als auch gegen die »bibelvergessenen« Papisten.

Es wäre eine Entleerung der Begriffe, wenn man behaupten würde, irgendeiner von den dreien – Reuchlin, Erasmus oder Luther – sei angetreten als Antisemit; Judaismus hat sie geängstigt, der zuerst in den eigenen christlichen Reihen aufgedeckt und geahndet wird. In rassischen Kategorien wurde überhaupt nicht gedacht – und dennoch! Wenn ein Reuchlin sich den Vorwurf der Kollektivschuld zu eigen macht, ein Erasmus das Bild des ewigen, auch durch Taufe nicht zu bessernden Juden beschwört und ein Luther die Umhergestoßenen als von Gott verstoßenes Volk aufgibt, dann bleibt für Juden als Juden kein Platz: Antijudaistisch ist in seinen Auswirkungen antijüdisch geworden. Die Judenbilder sind dann nicht mehr gefeit, ohne Abänderung in den fremden Dienst des Antisemitismus übernommen zu werden.

Anmerkungen zu Teil I

1) Erstveröffentlichung bei Pamphilus Gengenbach, Basel 1521. Eberlin von Günzburg, »Der erst bundtsgnoß«, in: Johann Eberlin von Günzburg, *Sämtliche Schriften,* 3 Bände, hg. von L. Enders. Neudrucke deutscher Literaturwerke des XVI. und XVII. Jahrhunderts. Flugschriften aus der Reformationszeit 11, 15, 18, Halle 1896–1902, Bd. 1, 3.

2) Siegfried Frey, »Das Gericht des Schwäbischen Bundes und seine Richter 1488–1534«, in: *Mittel und Wege früher Verfassungspolitik. Kleine Schriften* 1, Hg. J. Engel, Stuttgart 1979, 224–280, 274.

3) Vgl. mein Buch *Werden und Wertung der Reformation. Vom Wegestreit zum Glaubenskampf,* 2. Aufl. Tübingen 1979, 316.

4) *Corpus Reformatorum,* Bd. 1: *Philippi Melancht[h]onis Opera quae supersunt omnia* 1, hg. von C. G. Bretschneider, Halle 1834, Nachdruck New York 1963, 34.

5) Lewis W. Spitz hat eine Formel geprägt, die ebenso zutreffend ist und Reuchlin sogar noch mehr behagt haben würde: »Reuchlin – ein neuer Pythagoras«, in: *The Religious Renaissance of the German Humanists,* Cambridge, Mass. 1963, 61–80.

6) Siehe seinen Brief an John Colet aus Paris vom Dezember 1504; *Opus Epistolarum Des. Erasmi Roterodami,* hg. von P. S. Allen, Oxford 1906–1965 (= Allen), Bd. 1. 405, 35–37. Vgl. Michael Andrew Screech, *Ecstasy and the Praise of Folly,* London 1980, 10.

7) Weimarer Ausgabe, Abteilung Tischreden (= *WAT), 1.* Nr. 1041, S. 525, 42–44; September–November 1532.

8) *WAT* 2. Nr. 2771a; vgl. Nr. 2779a.

9) Siehe insbesondere Myron P. Gilmore, »Italian Reactions to Erasmian Humanism«, in: *Itinerarium Italicum. The Profile of the Italian Renaissance in the Mirror of its European Transformations,* Festschrift für Paul Oskar Kristeller zum 70. Geburtstag, hg. von H. A. Oberman, Th. A. Brady jr., Leiden 1975, 61–115, 84.

10) Siehe Ludwig Geiger, *Johann Reuchlin. Sein Leben und seine Werke,* Leipzig 1871. Vgl. James H. Overfield, »A New Look at the Reuchlin Affair«, *Studies in Medieval and Renaissance History* 8 (1971) 165–207; 206; vgl. 181.

Für die ältere Literatur siehe bes. Gustav Kawerau, s. v. »Reuchlin«, in: *Realencyklopädie für protestantische Theologie und Kirche*, 3. Aufl., Bd. 16, Leipzig 1905, 680–688. In der englischen Fachliteratur siehe W. Schwarz, *Principles and Problems of Biblical Translation. Some Reformation Controversies and their Background*, Cambridge 1955, 61–91; bes. 70, Anm. 2.

11)   Weimarer Ausgabe, Abteilung Briefe (= *WABr*), 1. 23, 28. Brief an Georg Spalatin vom Februar 1514; Gutachten zum Reuchlinstreit, wohl gestützt auf Reuchlins jüngste Veröffentlichung, die *Defensio contra calumniatores suos Colonienses*, Tübingen 1513.

12)   Im Jahre 1518 nannte sich Luther Reuchlins »Nachfolger«. *WABr* l. 268, 9 f.; 14. Dezember 1518. Max Brod, Autor der neuesten Reuchlin-Biographie und einer der ganz wenigen, die Luther explizit aus der Perspektive jahrhundertelanger Judenverfolgungen behandeln, lobt Reuchlin, daß er nicht auf Luthers »schmeichelnde« und irreführende Behauptung hereingefallen sei. *Johannes Reuchlin und sein Kampf*, Stuttgart 1965, 122. Aus der Lektüre des Briefes selbst aber geht hervor, daß Luther mit »Nachfolger« meint, er sei nun der nächste auf der schwarzen Liste der »Sophisten«. Die Stelle bezieht sich eindeutig nicht auf das wissenschaftliche Erbe. Im programmatischen Sinne war Luther nie ein Schüler Reuchlins. Eine äußere Konvergenz zwischen Reuchlin und Luther ist bislang unbemerkt geblieben, sie betrifft den Kurfürsten Friedrich von Sachsen, der Luther 1518 und in den folgenden Jahren entschieden gegen Rom (Kardinal Cajetan) und Reich in Schutz nahm. Er wurde schon 1513 von Reuchlin als Beschützer gegen kirchliche Einmischung angesehen: »Quo ardentius ad te Saxonesque tuos confugio ... ut me contra quorumlibet latronum in cursus semper tuearis.« Brief vom 13. August 1513, Begleitschreiben zu Reuchlins Übersetzung von ›Leben des Konstantin des Großen‹, in: *Johann Reuchlins Briefwechsel*, hg. von L. Geiger, Stuttgart 1875, Nachdruck Hildesheim 1962, 190.

13)   Weimarer Ausgabe, Abteilung Werke (= *WA*), 10 II. 329, 10; 1522.

14)   Siehe besonders *Medieval Aspects of Renaissance Learning. Three Essays by Paul Oskar Kristeller*, hg. von E. P. Mahoney, Durham, North Carolina 1974.

15)   *In Our Image and Likeness. Humanity and Divinity in Italian Humanist Thought* Bd. I, London 1970; ders.: »Erasmus, Augustine, and the Nominalists«, *Archiv für*

Reformationsgeschichte 67 (1976), 5–32; ders.: *The Poet as Philosopher. Petrarch and the Formation of Renaissance Consciousness,* New Haven 1979; bes. 111.

16) J. H. Overfield, »A New Look at the Reuchlin Affair« (wie Anm. 10), 206.

17) Siehe Yosef Hayim Yerushalmi, *The Lisbon Massacre of 1506 and the Royal Image in the Shebet Yehudah,* Cincinnati 1976, 2.

18) Josef Benzing, *Bibliographie der Schriften Johannes Reuchlins im 15. und 16. Jahrhundert,* Bad Bocklet 1955. Vgl. Guido Kisch, *Zasius und Reuchlin. Eine rechtsgeschichtlich-vergleichende Studie zum Toleranzproblem im 16. Jahrhundert,* Konstanz 1961, 71.

19) J. Benzing, *Bibliographie der Schriften Reuchlins,* 26.

20) Nachdruck der Amerbacher Ausgabe von *De verbo mirifico* (Basel 1494), zusammen mit *De arte cabbalistica* (Hagenau 1517), Stuttgart 1964. Die zweite Ausgabe von *De verbo mirifico* erschien im selben Jahr, 1494, besorgt von Thomas Anshelm, dem Schutzpatron der sog. Tübinger Akademie. Siehe meine Kritik an diesem Epitheton in *Werden und Wertung der Reformation* (wie Anm. 3), 19–24.

21) Es handelt sich um die Fortsetzung von Pico della Mirandolas Versuch, die Geheimwissenschaften mit Hilfe der Kabbala der Theologie unterzuordnen. Siehe Charles Zika, »Reuchlin's *De Verbo Mirifico* and the Magic Debate of the Late Fifteenth Century«, *Journal of the Warburg and Courtauld Institutes* 49 (1976), 104–138; 138.

22) *De verbo mirifico,* fol. a 2^r.

23) Das von Reuchlin verwandte Wort »resipiscentia« muß nicht immer ›Buße‹ bedeuten. Zehn Jahre später aber verwendet Erasmus es in seinem *Novum Instrumentum* als lateinisches Äquivalent des griechischen Wortes »mentanoia«, Bekehrung.

24) *De verbo mirifico,* fol. b 5^v; vgl. c 6^r. Die Einzigartigkeit von Reuchlins »drei Ringen« tritt besonders im Vergleich mit dem Dreiergespräch in Cusanus, *De Pace Fidei* hervor, entstanden kurz nach dem Fall Konstantinopels im Jahre 1453. Siehe die Ausgabe von John P. Dolan, *Unity and Reform. Selected Writings of Nicholas de Cusa,* Notre Dame, Indiana 1962, 195–237; vgl. 185–194.

25) »... vos legitima sacra mutastis: ideoque frustra murmuratis, frustra deum invocatis quem non ut ipse vult colitis, sed inventionibus vestris blandientes etiam nos

dei cultores livore immortali oditis ...« *De verbo mirifico, fol. b 5ᵛ.*

26) »Nam Iudei clam ista tegunt et palam effere nolunt, ne nos tanto munere inparciant. Itaque in hoc scio non decipior plurimum fructus christiana religio consecuta est ex Iudeis, qui ad veritatem evangeliam conversi sunt.« Flavius Mithridates, *Sermo de Passione Domini*, hg. von C. Wirszubski, Jerusalem 1963, 90, 7-10.

27) J. Benzing, *Bibliographie der Schriften Reuchlins*, 25. Vgl. G. Kisch, *Zasius und Reuchlin*, 16-22; 19.

28) L. Geiger sieht in der *Tütsch missive* »das Prinzip einer milden Duldung der Juden«. *Reuchlin. Sein Leben*, 164. Er weist auf die »lobenswerte Tatsache« hin, daß Reuchlin nicht für eine Zwangsausweisung der Juden eintritt. Die gleiche Beobachtung finden wir bei G. Kisch, *Zasius und Reuchlin*, 20. Dagegen jedoch Reuchlin selbst: Wenn die Juden, vielleicht gegen ihre Intention, mit ihrem Wucher der Gemeinschaft schaden, »essent per superiores nostros emendandi et reformandi seu expellendi ...«. *Doctor Johannsen Reuchlins ... Augenspiegel*, Tübingen 1511, fol. H 2ᵛ; Nachdruck in: Quellen zur Geschichte des Humanismus und der Reformation in Faksimile-Ausgaben Bd. 5, München s.a. [1961]. Man sollte sich vor Augen halten, daß Reuchlins erster Gönner und Schirmherr, Graf Eberhard im Bart († 24. 2. 1496) testamentarisch festgesetzt hatte, daß die Juden aus seinem Gebiet vertrieben werden sollten, was 1492 ausgeführt wurde. Reuchlin war Graf Eberhards Berater und zusammen mit Gabriel Biel Mitglied der römischen Delegation, die den Papst um Bestätigung der Universitätsgründung in Tübingen ersuchte (1477). Graf Eberhards Gründungsbrief schloß Juden aus der Stadt aus. Neueste Daten zu Reuchlins Leben finden sich bei Hansmartin Decker-Hauff, »Bausteine zur Reuchlin-Biographie«, in: *Johannes Reuchlin 1455-1522. Festgabe seiner Vaterstadt Pforzheim zur 500. Wiederkehr seines Geburtstages*, hg. von M. Krebs, Pforzheim s.a. [1955], 83-107. Weiteres zu Eberhards antijüdischer Politik bei Lilli Zapf, *Die Tübinger Juden. Eine Dokumentation*, Tübingen s.a. [1974], 15 f.

29) G. Kisch, *Zasius und Reuchlin*, 20. Reuchlin war bemüht, die soziale Integration bekehrter Juden zu fördern, die als Hebräischlehrer in Klöstern eingesetzt werden konnten. Sie sollten die Kenntnis der hebräischen Sprache verbreiten als Voraussetzung für die Einführung in die Kabbala. Siehe den aufschlußreichen

autobiographischen Brief an Ellenbog vom 15. März 1510, in: Nikolaus Ellenbog, *Briefwechsel*, hg. von A. Bigelmair, F. Zoepfl, Corpus Catholicorum 19/21, Münster i. W. 1938, 54 ff.

30)   L. Geiger, *Reuchlins Briefwechsel*, 88 f.
31)   Die nur lauwarme Unterstützung Reuchlins durch die Mehrheit der Humanisten in den folgenden Auseinandersetzungen läßt sich in der Tat durch deren Vorliebe für die griechischen und lateinischen Autoren erklären. Wie Hans Widmann bemerkt hat, fand der große Hebraist kaum Absatz für sein Werk *De rudimentis*. »Zu Reuchlins Rudimenta Hebraica«, in: *Festschrift für Josef Benzing,* hg. von E. Geck, G. Pressler, Wiesbaden 1964, 492–498. Offensichtlich waren nicht nur in scholastischen Hochburgen wie Köln, sondern auch in humanistischen Gelehrtengesellschaften Hebräischstudien zu diesem frühen Zeitpunkt nicht hoch im Kurs.
32)   L. Geiger, *Reuchlins Briefwechsel*, 93.
33)   *Ibid.*, 90.
34)   »At gravius insurgent, credo, invidi contra Dictionarium nostrum in quo multorum frequenter interpretationes taxantur. Proh scelus, exclamabunt, nihil indignius patrum memoria, nihil admissum crudelius, cum ille homo audacissimus tot et tam sanctos viros divino spiritu afflatos labefactare contendat. Hieronymi beatissimi scriptura, Gelasio Papa teste, recepta est in ecclesia, venerabilis pater Nicolaus de Lyra, ordinarius expositor Bibliae, omnibus Christifidelibus vir integerrimus probatur.« *Ibid.*, 97.
35)   *Ibid.*, 98.
36)   Vgl. *ibid.,* 91 f.
37)   *Ibid.,* 93.
38)   *Ibid.*, 100.
39)   G. Kisch, *Zasius und Reuchlin,* 23–36.
40)   *Augenspiegel,* fol. E 4[v]; vgl. Johannes Reuchlin, *Gutachten über das jüdische Schrifttum,* hg. und übers. von A. Leinz-v. Dessauer, Konstanz 1965, 106 f.
41)   *Augenspiegel,* fol. J 3[r]; H 2[v]; siehe Anm. 28.
42)   »Nicht alle Teile des Talmud sind den Juden zu entwenden und zu verbrennen – nur das, was Ketzerei oder Blasphemie enthält, ist zu vernichten. Aber doch nur so, daß jene Teile wenigstens bei den Bischöfen aufgehoben werden, so daß sie zugänglich sind für christliche Hebraisten. Und wenn Juden je wieder mit haltlosen Behauptungen aufwarten, dann können Textkundige antreten, um sie zu widerlegen und verurteilen.« *Augenspiegel,* fol. F 3[r].

43) »... aliqui essent conservandi ...« *Augenspiegel*, fol. H 2^r. In diesem Punkt weiche ich von Wilhelm Maurer ab, der in seiner vorzüglichen Untersuchung abschließend bemerkt: »Bildungseinheit statt Judenmission – das ist im Grunde Reuchlins Programm, durch das er das Anliegen der Judenemanzipation vom Ende des 18. Jahrhunderts schon vorwegnimmt.« *Kirche und Synagoge. Motive und Formen der Auseinandersetzung der Kirche mit dem Judentum im Laufe der Geschichte*, Stuttgart 1953, 38.

44) Siehe weiter G. Kisch, *Zasius und Reuchlin,* 75, Anm. 3.

45) Übersetzt als *Speculum adhortationis Judaice ad Christum.* Ich zitiere die lateinische Ausgabe mit dem Druckvermerk »Editum Colonie per Iohannem pefferkorn [sic] olim Judeum modo Christianum. Anno domini 1507. feria tertia post Decollationem sancti Joannis baptiste«.

46) Meier Spanier hat die Echtheit von Pfefferkorns Flugschriften in Frage gestellt. Die lateinischen Werke hat er ihm von vornherein abgesprochen: »Er konnte kein Latein.« »Zur Charakteristik Johannes Pfefferkorns«, *Zeitschrift für die Geschichte der Juden in Deutschland* 6 (1936), 209–229; 210. Aber auch den deutsch verfaßten Flugschriften sagt er Zeichen äußerer Einflüsse nach. Seine Hebräisch- und Talmudkenntnisse seien kläglich gewesen: »Er wußte eben nicht mehr als irgendein anderer ungebildeter Jude der damaligen Zeit; vom Talmud verstand er gar nichts...« *ibid.*, 212. Schließlich seien auch alle typisch deutschen volkstümlichen Redewendungen, »von denen einige uraltes deutsches Sprachgut« seien, ein Beweis für einen Kölner »humanistischen« Ursprung. Das *Speculum adhortationis Judaice (Judenspiegel,* lat. und dt. Ausg. 1507) wird ausschließlich Ortvinus zugeschrieben: »Die erste Schrift ... dürfte fast ganz ein Werk des Ortuin Gratius sein.« *Ibid.*, 221. Gegen M. Spaniers These spricht, daß der lateinische Stil wenig mit spätmittelalterlichem ›scholastischen‹ Latein gemein hat. Das mag Absicht sein, dann aber muß die Frage der wahren Autorschaft grundsätzlich offenbleiben. Was Pfefferkorns Bildungsstand betrifft, so war er mehrere Jahre lang Hausgast des Rabbiners Meir Pfefferkorn und muß – angesichts seiner erfolgreichen Mission bei der Schwester Kaiser Maximilians – mehr Ansehen genossen haben, als M. Spanier annimmt. Vgl. Heinrich Graetz, *Volkstümliche Geschichte der Juden*, 3 Bände, Berlin 1923, Bd. 3, 170–220; 175, 185.

47) Diese radikale Reduktion ist Salo Wittmayer Baron nicht entgangen: *A Social and Religious History of the Jews,* 16 Bände, 2. Auflage, New York 1952-1976, Bd. 13: *Inquisition, Renaissance, and Reformation,* 184-191; 186.

48) »Deshalb konfisziere und verbrenne alle Bücher des Talmud mit seinen Lügen und Märchen. Ihr tut damit ein Liebeswerk, da ihr dadurch, daß ihr Irrtümer wegräumt, sie auf den rechten Weg führt. Wenn sie einmal diese Schriften los sind, dann werden sie sich um so schneller und leichter den heiligen Schriften zuwenden.« *Speculum adhortationis Judaice (= Speculum),* fol. C 4ᵛ. Pfefferkorn macht drei Vorschläge: Der Zinswucher solle verboten werden, denn noch sei es erstrebenswerter ein wuchernder Jude, als ein armer Christ zu sein; fol. C 1ʳ-C 2ᵛ. Zweitens solle man die Juden zwingen, christliche Predigten zu hören. Dies sei nichts als der rückerstattete Dank für einen früheren Freundesdienst, denn ohne die Juden würden die Christen immer noch ihre Götzen verehren: »adhuc adoraretis idola«; fol. C 4ʳ. Drittens sollten die jüdischen Bücher beschlagnahmt und verbrannt werden: »ita magnum facietis opus charitatis« – so begeht ihr ein echtes Liebeswerk; fol. C 4ᵛ.

49) *Speculum,* fol. C 4ᵛ-D 1ʳ.

50) Siehe Guido Kisch, *The Jews in Medieval Germany. A Study of their Legal and Social Status,* Chicago 1949, 129 ff.; 145-153.

51) Die Rechtsprechung, auf deren Grundlage Reuchlin die Juden als »concives« anerkannt sehen, d. h. ihnen einen Rechtsstatus als Mitbürger verschaffen will, hatte am Ende des Mittelalters ihre – vergleichsweise – positiven Aspekte weitgehend verloren, da Adel und Stadtväter zusammen mit dem Kaiser um die ›Schutz‹-Steuern wetteiferten und normalerweise nur eine auf sechs Jahre beschränkte Aufenthaltsgenehmigung erteilten. Siehe die von Friedrich Battenberg veröffentlichten Dokumente: »Zur Rechtsstellung der Juden am Mittelrhein in Spätmittelalter und früher Neuzeit«, *Zeitschrift für historische Forschung* 6 (1979), 129-183; Urkundenanhang, 171-183; und die Entwicklung, beschrieben von Renate Overdick, *Die rechtliche und wirtschaftliche Stellung der Juden in Südwestdeutschland im 15. und 16. Jahrhundert, dargestellt an den Reichsstädten Konstanz und Eßlingen und an der Markgrafschaft Baden,* Konstanz 1965, 158-164.

52) Vgl. L. Geiger, *Reuchlin. Sein Leben* (wie Anm. 10), 217.

53) *Speculum*, fol. D 3ᵛ.
54) L. Geiger, *Reuchlin. Sein Leben*, 283. Vgl. H. Graetz, *Volkstümliche Geschichte der Juden* (wie Anm. 46), Bd. 3, 188.
55) »... omnino sic fore credo, quod mutatio humanarum rerum orietur et consurgit brevi in mundo, maxime in populo christiano.« *Speculum*, fol. D 4ʳ.
56) Diese Ambivalenz ist ein wesentlicher Bestandteil des Beschlagnahmungsplanes selbst: »Die Konfiskation ist nicht Vergewaltigung, sondern Besserung der Juden.« Zugleich gilt: »Solange die Götzen (idola), diese elenden Bücher, nicht aus unserer Mitte entfernt und vernichtet sind, wird die Kirche nicht in Frieden leben können.« *Ibid.*, fol. D 1ʳ.
57) Zur Erläuterung ein Zitat Luthers aus seinem berühmten Traktat vom Jahre 1523 (siehe auch Anm. 110): »Denn sie sind tzu tieff und tzu lange verfurt, das man mus seuberlich mit yhn umbgehen, als denen es ist alltzu seer eyngebildet, das Gott nicht muge mensch seyn. Darumb were meyn bitt und rad, das man seuberlich mit yhn umbgieng und aus der schrifft sie unterrichtet, so mochten yhr ettliche herbey komen. Aber nu wyr sie nur mit gewallt treyben und gehen mit lugen teydingen umb, geben yhn schuld, sie mussen Christen blutt haben, das sie nicht stincken und weys nicht wes des narren wercks mehr ist, das man sie gleich fur hunde hellt, was sollten wyr guttis an yhn schaffen? Item das man yhn verbeutt, untter uns tzu erbeytten, hanttieren und andere menschliche gemeynschafft tzu haben, da mit man sie tzu wuchern treybt, wie sollt sie das bessern? Will man yhn helffen, so mus man nicht des Babsts, sonder Christlicher liebe gesetz an yhn uben und sie freuntlich annehmen, mit lassen werben und erbeytten, da mit sie ursach und raum gewynnen, bey und umb uns tzu seyn, unser Christlich lere und leben tzu horen und sehen. Ob ettliche hallstarrig sind, was ligt daran? Sind wyr doch auch nicht alle gutte Christen.« *WA* 11. 336, 19-34.
58) Siehe *Speculum*, fol. E eᵛ.
59) Dies gilt bis zur letzten Predigt Luthers. Vgl. *WA* 51. 195f. So schon 1514: *WA* 3. 329, 26-29.
60) Wenn die Juden überhaupt kleine Christenkinder töten, so tun sie dies aus Rache und nicht, um an ihr Blut zu gelangen: »Fugite ergo et vitate orationem hanc ridiculam, falsam, et (si recte conspicere vultis) nobis christianis non parum contemptui existentem.« *Speculum*, fol. D 1ᵛ.

61) Gottfried Seebaß, ›Verzeichnis der Werke Andreas Osianders‹, *Das reformatorische Werk des Andreas Osiander,* Nürnberg 1967, 6-58; 17, Nr. 80. In der *Bibliographia Osiandrica. Bibliographie der gedruckten Schriften Andreas Osianders d.Ä. (1496-1552),* hg. von G. Seebaß, Nieuwkoop 1971, ist diese Abhandlung mit dem Datum »1540?« versehen, mit dem Hinweis, »Originaldruck nicht gefunden«; *ibid.,* 124, Nr. 29. Mein Erlanger Kollege, Professor Gerhard Müller, hat mir freundlicherweise eine Kopie des einzig bekannten Drucks zur Verfügung gestellt, welcher sich in amerikanischem Privatbesitz befindet. Moritz Stern hat den Text herausgegeben mit dem Titel *Andreas Osianders Schrift über die Blutbeschuldigung,* Kiel 1893.

62) Emanuel Hirsch, *Die Theologie des Andreas Osiander und ihre geschichtlichen Voraussetzungen,* Göttingen 1919, 276-280; G. Seebaß, *Das reformatorische Werk des Andreas Osiander,* 82-85. Osianders Haltung gegenüber den Juden geht aus dem aufschlußreichen Antrag vom 17. Februar 1529 an den Nürnberger Stadtrat hervor, in dem er um die Erlaubnis bittet, daß ein jüdischer Lehrer ihn aufsucht und in Aramäisch unterweist: »Dieweil nun unwidersprechlich ist, das die Juden baide, das gesetz und propheten, baß verstehen dan wir Christen, ausgenomen, das sie die person nicht für Christum halten, die wir dafur erkennen, und sonst auch vil guts verstands und grosser gehaimnus haben, deren sie ytzo selbs nicht geprauchen, als die nichts mer studirn, sonder nur dem wucher und andern posen stucken anhangen, were es ye wol werd, das die Christen solchs zu sich prechten, nicht allain wider die Juden, sonder auch für sich selbs zu geprauchen, welchs aber nicht geschehen kan noch mag on verstand der caldaischen sprach. Dieweil aber bißher in vil hundert jaren kain Christ dieselben konnt hat, es were dan der graff Picus von Mirandula, der zu frue gestorben, ists offenbar, das wir die von Juden mussen lernen; dan das sie ymand von im selbs solt lernen, ist unmuglich, dieweil wir weder grammatica noch vocabularien darzu haben, die gegrundt wern.« Andreas Osiander d.Ä., *Gesamtausgabe,* Bd. 3: *Schriften und Briefe 1528 bis April 1530,* hg. von G. Müller, G. Seebaß, Gütersloh 1979, 337, 14-25. Dieser Antrag könnte der Anlaß zu Gerüchten gewesen sein, Osiander sei ein Jude. Siehe auch G. Seebaß, *Reformatorisches Werk,* 82-85.

63) »Zum zwelfften so sein die taufften Juden hin und wider

an mancherley orten in mancherley weg von geschick-
ten gelerten und weysen leuten bespracht (= verleum-
det) worden und hat doch keiner nie bekant das er etwas
darvon wisse oder das er glaube das es war sey. Nun
werden nicht allein die Juden getaufft die auß gottes
gnaden die warheyt erkennen. Sonder auch ye zuzeyten
die so unter den Juden jrer mißhandlung halben ver-
acht, verstossen und verbannet sein. Nun hat ye kein
teyl ursach die sach zu verlaugnen wann etwas dran
were. Dan die rechtglaubigen solten es ja Christo dem
herrn zu ehren bekennen und oeffnen, damit die Christen gewarnet und weg gesucht wurden das man solchs
ubel unterkeme. Die andern so auß haß der Juden Christen werden, solten es freylich auch nich verschweygen
von jren feynden und verfolgern. Als dann Pfefferkorn
zu Coeln den Juden zu wider vil angezeygt und eroeff-
net hat – obs alles war gewest oder nit, ist hie nicht not
anzuzeygen. Het er aber von der kinder mord etwas
gewust, wie were es jm und seinen Prediger munchen
ein freud gewest das selb anzuzeygen, und aller welt
bekant zu machen.« *Ob es war und glaublich sey, daß*
die Juden der Christen kinder heymlich erwürgen und jr
blut gebrauchen ein treffenliche schrifft auff eines yeden
urteil gestelt, s.a.s.l. [1529], fol. b 1^v–b 2^r.

64) Ingolstadt, 1541. Durch Joh. Ecken. Hier wird die Ausgabe des Jahres 1542 der Universitätsbibliothek Freiburg zugrunde gelegt.

65) Johann Caspar Ulrich nimmt diesen »Fall« in eine
Untersuchung auf, die er mit den Worten schließt: »Wir
beschliessen nun diese Mord Geschichten mit vielem
Eckel, und gestehe[n] gerne daß aus so vielen Mord-
thaten, die man ehedem den Juden aufgebürdet hat,
die allermeisten schändliche und unverantwortliche Zu-
lagen seyen. Es dienet auch der Christenheit nicht zur
Ehre, daß man aus diesen angegebenen Martyrern Heilige gemachet hat.« *Sammlung Jüdischer Geschichten,*
welche sich mit diesem Volk in dem XIII. und folgenden
Jahrhunderten bis auf MDCCLX. in der Schweitz von Zeit
zu Zeit zugetragen. Zur Beleuchtung der allgemeinen
Historie dieser Nation herausgegeben, Basel 1768, 92, 87.

66) J. Eck, *Ains Judenbüechlins Verlegung,* fol. G 2^v.

67) *Ibid.,* fol. G 3^r.

68) *Ibid.,* fol. N 4^{r-v}.

69) *Ibid.,* fol. H 3^v.

70) Die Berichte aus Freiburg, auf die Eck anspielt, ent-
stammen »einer Gemeinde mit einer langen Tradition

von besonderem Judenhass«. Steven W. Rowan, »Ulrich Zasius and the Baptism of Jewish Children«, *Sixteenth Century Journal* 6, 2 (1975), 3–25; 7; Deutsche Übersetzung: »Ulrich Zasius und die Taufe jüdischer Kinder«, *Zeitschrift des Breisgauer Geschichtsvereins (»Schau-ins-Land«)* 97 (1978), 79–98; 82.

71) *Ains Judenbüechlins Verlegung,* fol. J 3^r.
72) »... kumt auch da ain newe frucht herfur ains luterischen, der schön machen will der juden kindermord.« *Ibid.,* fol. N 4^r.
73) *Ibid.,* fol. Q 4^r.
74) Vgl. Selma Stern, *Josel von Rosheim. Befehlshaber der Judenschaft im Heiligen Römischen Reich Deutscher Nation,* Stuttgart 1959, 83.
75) Warum, fährt Eck listig fort, hat die *Confessio Augustana* (1530) dann nicht die Vulgata zurückgewiesen und ihre Beweisführung auf den hebräischen Text aufgebaut! *Ains Judenbüechlins Verlegung,* fol. Q 1^{r-v}.
76) *Erasmus' Stellung zu Juden und Judentum,* Tübingen 1969. Cornelis Augustijn hat einen Aufsatz über »Erasmus und die Juden«, *Nederlands Archief voor Kerkgeschiedenis* 60 (1980), 22–38, publiziert, in dem er mit größter Klarheit und völlig zutreffend unterstreicht, daß »Iudei« sich des öfteren auf gesetzlich denkende Christen bezieht. Seiner Schlußfolgerung jedoch, daß Erasmus den einzelnen Juden »sub specie aeternitatis« respektiere, kann ich mich nicht anschließen: »Das Judentum hat als Religion keine Zukunft. Die Juden schon!« *Ibid.,* 37. Erasmus' Erwartung, daß sich letztlich alle Juden bekehren werden, teilt er mit vielen anderen Zeitgenossen. Die ganze Tragödie einer auf Konversion gegründeten Toleranz kommt in einer Formulierung von Erasmus zum Tragen: »... quia Paulus praedixit fore ut Judaei tandem aggregentur ad ovile Christi, toleramus impiam ac blasphemam gentem...« ›Declarationes ad censuras facultatis theologiae parisiensis‹, *Opera omnia,* Leiden 1703–1706, Nachdruck London 1962, Bd. IX, Sp. 909 AB; zitiert nach C. Augustijn, »Erasmus und die Juden«, 37, Anm. 95. Simon Markish bietet gegenüber Augustijn keine neuen Gesichtspunkte: *Erasme et les Juifs,* Lausanne 1979.
77) G. Kisch, *Erasmus' Stellung zu Juden und Judentum,* 29. In der Toronto-Ausgabe von Erasmus' Briefen, die sowohl als Übersetzung wie als Erläuterung vorbildlich ist, wird Erasmus' Haltung gegenüber den Juden im Zusammenhang mit Pfefferkorn (hier als Dominika-

ner [!] bezeichnet) als beispiellose Ausnahme charakterisiert. *Collected Works of Erasmus. The Correspon-
dence of Erasmus* (= *EL*), übers. von R. A. B. Mynors,
D. F. S. Thomson, Toronto 1974 ff., Bd. 5, 164.

78) G. Kisch, *Erasmus' Stellung zu Juden und Judentum,* 37.

79) Allen (wie Anm. 6) 2. 501, 10–13; *EL* 4. 279, 12–15;
10. März 1517.

80) Allen 3. 127, 24; *EL* 5. 181, 29.

81) Allen 3. 127, 37–38; *EL* 5. 181, 42f.

82) Allen 3. 253, 25f. Vgl. *EL* 5. 347, 26–28.

83) Erasmus ist verständlicherweise daran interessiert, eine
Mitwirkung an der Publikation der *Illustrorum virorum
Epistulae* vom Mai 1519 zu verneinen, insbesondere
nachdem Hochstraten im April 1519 die *Destructio
Cabale* veröffentlicht hatte, in welcher er auch Erasmus'
Novum Instrumentum attackiert. Siehe Allen 4. 120–122;
121, 13. 16f. Erasmus' Begründung ist aber eine doppelte Unwahrheit, denn Reuchlin hat Erasmus nicht nur
ausdrücklich gebeten, für seine Sache einzutreten (Allen 1. 556, 22–28; *EL* 2. 285, 25–33; April 1514), sondern
Erasmus hatte auch für Reuchlin an Kardinal Riario
(† 1521) geschrieben, der allgemein als papabilis galt;
Allen 2. 73, 135–138; *EL* 3. 91, 145–148; 15. Mai 1515.

84) In Bad Liebenzell am 30. Juni 1522. Siehe Hans Rupp-
rich, »Johannes Reuchlin und seine Bedeutung im europäischen Humanismus«, *Johannes Reuchlin* (wie Anm.
28), 10–13; 33. Vgl. Allen 5. 124, 46 und entspr. Anm.

85) Reuchlins Name gehört in den Heiligenkalender, so wie
seine Bücher in die Bibliotheken, »... proxime divum
Hieronymum«. *Desiderio Erasmo da Rotterdam, L'apo-
theosi di Giovanni Reuchlin,* übers. von G. Vallese,
Neapel 1949, 130. 210f.

86) *Ibid.,* 134. 247–257.

87) Vgl. seinen Brief an John Fisher vom 1. September 1522;
Allen 5. 123, 19f.

88) An Hochstraten, 11. August 1519; Allen 4. 46, 142f.

89) Das entsprechende Phänomen bei Hieronymus, für
Erasmus *der* Exeget unter den Kirchenvätern, ist erläutert bei Horst Dieter Rauh, *Das Bild des Antichrist im
Mittelalter: Von Tyconius zum Deutschen Symbolismus,*
2. Aufl. Münster i. W. 1979, 132f.

90) Besonders präzise Formulierungen in: *Commentarii in
Psalmum › Beatus vir‹ [Psalm 1] finis,* die der zweiten Aus-
gabe des *Enchiridion,* Basel 1518, angehängt sind. Siehe
Erasmus, *Opera omnia* (wie Anm. 76), Bd. V, Sp. 182 B.

91) An Capito, 26. Februar 1517; Allen 2. 491, 138f.; *EL* 4.
267, 154f.

92) Siehe Charles Zika, »Reuchlin and Erasmus: Humanism and Occult Philosophy«, *Journal of Religious History* 9 (1977), 223–246; 229.

93) »… caput erigere conetur paganismus.« Allen 2. 491, 135.

94) »Nunc audimus apud Bohemos exoriri novum Judaeorum genus, Sabbatarios appellant, …« *De amabili* [Allen: *Liber de sarcienda*] *Ecclesiae concordia* mit Widmungsschreiben an Julius Pflug vom 31. Juli 1522. Erasmus, *Opera omnia*, Bd. V, Sp. 505 D–506 A. Vgl. »Dicuntur et hodie repullulascere Sabbatarii, qui septimi diei otium incredibili superstitione observant.« *Ecclesiastae, sive de ratione concionandi*, Lib. III mit Widmungsschreiben an Christoph von Stadion vom 6. August 1535. *Ibid.*, Sp. 1038 B.

95) »… ne renascentibus Hebraeorum literis Iudaismus meditetur per occasionem reviviscere.« Allen 2. 491, 137 f.

96) Siehe meine Darstellung in: *Werden und Wertung der Reformation*, 263–266.

97) Vgl. Johannes Teuschlein, ›Auflosung ettlicher Fragen zu lob und ere christi Jesu auch seiner lieben mutter Marie wider die verstockten plinten Juden und alle die jhenen so sie in jren landen und stetten wider recht enthalten furen und gedulden neulich geschehen‹, gedruckt bei Fryderich Peypus, Nuremberg, 1520.

98) »Als es aber jetzo in der welt steet/dz gemeinlich alle stend beladen seind mit dem teufflischen geytz/so wil uns nutzer sein/dz wir sie [die Juden] von uns weysen/dan gedulden.« Teuschlein, *ibid.*, fol. C 2[r]. »Seitmal nun die juden uns sovil schaden bringen an leib/seel/eer und gut/so lernet uns das naturlich gesetz/das wir sie nach unserem vermugen sollen verweisen.« Fol. C 3[r]. »Darumb auch etwa der herr durch Titum und Vespasianum/als seinen verwalter gerochen der juden missethat durch außtreybung von dem jren.« Fol. C 3[v]. »Sehen wir aber an die sitten der menschen geistlicher und weltlicher/finden wir das sie sich vol gefressen haben durch juden gut das der kropff der selbigen geschenck gar schwerlichen von jn gezogen mag werden/deßhalb die juden solcher ort nit leichtlich vertriben.« Fol. C 4[v]. Maria in Antwort auf ein Gebet: »Du bittest mich umb das/so thu du auch meinen willen/treib von dir/mein und meynes lieben suns grosse feindt.« Fol. C 5[r].

99) In einer anonymen Schrift wird der Beschuldigung des Ritualmords nicht widersprochen, um die Juden zu ver-

teidigen, sondern um die Anklage nur noch zu verschärfen: nicht zu ›medizinischen‹ Zwecken brauchen sie Christenblut, sondern um ihre Rachgier zu befriedigen: »Es ist gleublich was ich uch sag / den ir gantzer ostertag / allein dorumb ist uff gestifft / das er ir find uff erd antrifft / Wie parro der vor was ir here / mit allem volck erdranck im mere / ... So sy nun kein parro haben / des nemen sy ein christen knaben / Dem sy vergiessen do syn blut / alß obs ein findt dem andren dut.« ›Enderung und schmach der bildung Marie von den juden bewissen. und zu ewiger gedechtniß durch Maximilian den römischen keyser zu malen verschaffet in der löblichen stat kolmer. von dannen sy ouch ewig vertriben syndt‹, s.a.s.l. [Thomas Murner (?), Straßburg 1515], fol. D 5[r].»Ich habs von einem ein verstandt / wie das sy gsyn in hispanier landt / do sy das under in erkandt / In eim concilium betracht / das die iuden handt gemacht / Das ieder fliß sich wer do mag / das kein iud den ostertag / Begang on christen blut do by / das alle zytt ein zeichen sy / Allen die dar syndt gesessen / unnd handt matz kuchen do selbst gessen / Das sy das christen blut erman / mit uns ein ewige findtschafft zu han.« Fol. D 6[v]. »Darumb in soelches blutes krafft / bestettiget wurdt ir bruderschafft / Der christen hatt kein groesseren findt / den fur wor die iuden sindt / Die unser blut all tag begeren / das sy gern unser herren weren / Sy durstet alle zytt und stundt / noch unserem blut – der recht blut hundt / Dorumb sol mans ouch mit in tryben / das sy solch schelmen moegen blyben / Wir ziehen ein schlangen in dem geren / der im syn gifft nit lasset weren / Den es sich alle stundt dut meren / wider christum unßeren lieben herren.« Fol. E 1[r].

100) *Der Antichrist und Die Fünfzehn Zeichen vor dem Jüngsten Gericht. Faksimile der ersten typographischen Ausgabe eines unbekannten Straßburger Druckers, um 1480,* 2 Bde. (Textband, Kommentarband), hg. von Ch. P. Burger u.a., Hamburg 1979, Textband, 5.2. Vgl. bes. den Kommentar von Christoph Peter Burger, »Endzeiterwartung im späten Mittelalter. Der Bildertext zum Antichrist und den Fünfzehn Zeichen vor dem Jüngsten Gericht in der frühesten Druckausgabe«, Kommentarband, 18–53; 36, 39, 43.

101) *Ibid.,* 47 ff.

102) Siehe meinen Hinweis in: »Fourteenth-Century Religious Thought: A Premature Profile«, *Speculum* 53 (1978), 80–93; 90 f. Umfangreiches Material bei Hans

Preuß, *Die Vorstellungen vom Antichrist im späten Mittel-alter, bei Luther und in der konfessionellen Polemik. Ein Beitrag zur Theologie Luthers und zur Geschichte der christlichen Frömmigkeit,* Leipzig 1906, 12 ff., und Joshua Trachtenberg, *The Devil and the Jews. The Medieval Conception of the Jew and its Relation to Modern Anti-semitism,* New Haven 1943 (New York 1966), 32–43.

103) Georg, Herzog von Bayern (1486–1529) und Bischof von Speyer (1515–1529), stützt seine Argumentation auf die Vorstellung vom Zorn Gottes in einem bisher übersehe-nen schroffen ›Mandat‹ vom 4. April 1519 gegen die Juden, die »Hunden näher sind als menschlichen We-sen«. Wie bei Pfefferkorn, so finden wir auch hier die Beschuldigung, die Obrigkeit sei durch die Juden besto-chen: »Quocirca officii nostri esse visum est tante homi-num seu potius canum perversitati quocumquemodo resistere aut obviam ire, et eo magis cum seculares pre-fecti quorum esset [officium] hec nephanda ob christi gloriam prohibere, non solum hec non prohibeant, sed interdum (judeorum donis corrupti) etiam tolerent et quantum in ipsis est non sine gravi peccato tutentur. ... Cum autem verendum sit ne divinam propter hoc indignationem incurramus ... pro contumeliam creato-ris respublica ledatur, fames, terremotus et pestilentia (qua etiam nunc laboratur) fiat, dum nimis pacienter christi dei nostri opprobria sustinemus. ... Volumus ... sub excommunicationis pena publice moneatis et requi-ratis ne posthac judeis cohabitent sive cum eis mandu-cent neque servitia aliqua illis prestare aut proles eorum mercede lactare vel nutrire aut medicinam ab eis reci-pere presumant aut frequentiorem cum eis conversa-tionem habeant ...« *Mandat gegen die Juden* (Hagenau, Heinrich Gran, 1519), Universitätsbibliothek Tübingen, Signatur: Gb 599. 2^n.

104) Siehe meine Typologie in: *Forerunners of the Reforma-tion. The Shape of Late Medieval Thought,* New York 1966 (Philadelphia 1981), 4–14.

105) Vgl. Peter Herde, »Probleme der christlich-jüdischen Beziehungen in Mainfranken im Mittelalter«, *Würzbur-ger Diözesan-Geschichtsblätter* 40 (1978), 79–94; bes. 88.

106) Siehe die ›Vertreibungstabelle‹ von Philipp N. Bebb in: »Jewish Policy in Sixteenth Century Nürnberg«, *Occa-sional Papers of the American Society for Reformation Research* 1 (1977), 125–136; 132f. Bebb betont, daß seine gesammelten Daten nur Näherungswerte darstellen. Zur Vervollständigung seiner Liste – z.B. durch die

Donauwörther Vertreibung von 1517 – siehe die Daten in: Helmut Veitshans, *Die Judensiedlungen der schwäbischen Reichsstädte und der württembergischen Landstädte im Mittelalter,* Arbeiten zum historischen Atlas von Südwestdeutschland 5, Stuttgart 1970, 12–43; 38.

107) »Desgleichen sollenn die Judenn ein Gelbenn Ring an dem Rock ader kappenn allenthalb unverborgenn Zu Irer erkannthnus offenntlich tragen.« *Urkundenbuch zu der Geschichte des Reichstages zu Augsburg im Jahre 1530,* hg. v. K. E. Förstemann, Bd. 2: *Von der Übergabe der Augsburgischen Confession bis zu dem Schlusse des Reichstages,* Halle 1835, Nachdruck Osnabrück 1966, 347. Mehr zu den Bemühungen, die Abzeichen in Straßburg und Regensburg – dauerhaft – durchzusetzen, bei Haim Hillel Ben-Sasson, »Jewish-Christian Disputation in the Setting of Humanism and Reformation in the German Empire«, *Harvard Theological Review* 59 (1966), 369–390; 372f. Karl V. bestätigte noch in Augsburg am 15. Oktober 1530 die »Privilegien« Württembergs, die »unbelastet« waren von Schutzrechten der Juden. Dieses enthüllende antijüdische Mandat, das in der Literatur irreführenderweise als »kaiserlicher Freiheitsbrief« geführt wird, wurde herausgegeben von August Ludwig Reyscher, *Vollständig historisch und kritisch bearbeitete Sammlung der württembergischen Gesetze,* Bd. IV, Tübingen 1831, 60–65.

108) Für den Stand der Forschung siehe besonders die umfassende Darstellung von Johannes Brosseder, *Luthers Stellung zu den Juden im Spiegel seiner Interpreten. Interpretation und Rezeption von Luthers Schriften und Äußerungen zum Judentum im 19. und 20. Jahrhundert vor allem im deutschsprachigen Raum,* München 1972. Neueste Ergebnisse bei C. Bernd Sucher, *Luthers Stellung zu den Juden. Eine Interpretation aus germanistischer Sicht,* Nieuwkoop 1977. Bisher unübertroffen und wahrscheinlich unübertrefflich ist Reinhold Lewins Analyse, *Luthers Stellung zu den Juden. Ein Beitrag zur Geschichte der Juden in Deutschland während des Reformationszeitalters,* Neue Studien zur Geschichte der Theologie und der Kirche 10, Berlin 1911, Nachdruck Aalen 1973. Dem Rabbiner Lewin gebührt besondere Anerkennung für seine außergewöhnliche Unparteilichkeit, die ihm den Jahrespreis der Protestantischen Fakultät der Universität Breslau eingetragen hat. Zusammen mit seiner Familie fiel er dem Naziterror zum Opfer, nachdem »das amerikanische Konsulat ihm das Einreisevisum verwei-

gert« hatte. Guido Kisch, »Necrologue Reinhold Lewin 1888-1942«, *Historia Judaica* 8 (1946), 217–219; 219.

109) *WABr* 8. 89–91. R. Lewin, *Luthers Stellung zu den Juden,* 62ff.; S. Stern, Josel von Rosheim (wie Anm. 74), 125–130; 137f.

110) Vgl. *Daß Jesus Christus ein geborner Jude sei* (1523), *WA* 11. 314–336; 315, 14–24; 336, 22–37.

111) »Aber nu wyr sie nur mit gewallt treyben und gehen mit lugen teydingen umb, geben yhn schuld, sie mussen Christen blutt haben, das sie nicht stincken, und weys nicht wes des narren wercks mehr ist, das man sie gleich fur hunde hellt, was sollten wyr guttis an yhn schaffen? Item das man yhn verbeutt, untter uns tzu erbeytten, hantieren und andere menschliche gemeynschafft tzu haben, da mit man sie tzu wuchern treybt, wie sollt sie das bessern? Will man yhn helffen, so mus man nicht das Bapsts, sonder Christlicher liebe gesetz an yhn uben und sie freuntlich annehmen, mit lassen werben und erbeytten, da mit sie ursach und raum gewynnen, bey und umb uns tzu seyn, unser Christlich lere und leben tzu horen und sehen.« *WA* 11. 336, 24–33; vgl. *ibid.*, 314, 26–31; 315, 1–13.

112) *WABr* 8. 90, 21–28; schon 1523 erwähnt als eines unter anderen Argumenten; *WA* 11. 331, 3–8.

113) *Wider die Sabbather an einen guten Freund* (1538), *WA* 50. 312–337; *Von den Juden und ihren Lügen* (1543), *WA* 53. 417–552; *Vom Schem Hamphoras und vom Geschlecht Christi* (1543), *WA* 53. 579–648; *Von den letzten Worten Davids* (1543), *WA* 54. 28–100. Die sächsische Judenpolitik wird beleuchtet durch das »Ausschreiben« des Kurfürsten Johann Friedrich aus dem Jahre 1543, das das Mandat von 1536 bestätigt. Das »Ausschreiben« wurde am Ende des vorigen Jahrhunderts veröffentlicht: Carl August Hugo Burkhardt, »Die Judenverfolgung im Kurfürstentum Sachsen«, *Theologische Studien und Kritiken* 70 (1897), 593–598; 597.

114) Siehe aber auch die Zusammenfassung in *WA* 42. 448, 25–42; 451, 1–34. Es sollte festgehalten werden, daß wir im Genesiskommentar (1535–1545) – mehr noch als in den expliziten Judenschriften – die Argumente des älteren Luther gegen die Juden vollständig gespeichert finden. Vgl. Anm. 124.

115) Vgl. das harte Urteil von Peter Maser, »Luthers Schriftauslegung im Traktat ›Von den Juden und ihren Lügen‹ (1543). Ein Beitrag zum ›christologischen Antisemitismus‹ des Reformators«, *Judaica* 29 (1973), 71–84, 149–167.

116) *WABr* 1. 23f. Es handelt sich um Luthers ersten Brief an Friedrichs späteren Geheimen Rat Georg Spalatin. Vgl. Irmgard Höss, *Georg Spalatin 1484-1545. Ein Leben in der Zeit des Humanismus und der Reformation,* Weimar 1956, 75-78.

117) Wir übergehen hier Luthers erste Bemerkung: Obwohl die Mißstände innerhalb der Kirche zum Himmel schreien, kehren diese Dominikaner vor fremden Türen; ein Thema, das 1523 wieder aufgenommen wird. *WABr* 1. 23, 20-30.

118) *Ibid.,* 23, 39-42.

119) Eine detaillierte und überzeugende Behandlung von Luthers anderer Stellung zur Kabbala findet sich bei Siegfried Raeder, *Grammatica Theologica. Studien zu Luthers Operationes in Psalmos,* Tübingen 1977, 59-80.

120) *WABr* 1. 149, 11-150, 14f.; Februar 1518.

121) *WA* 5. 384, 12; zitiert nach S. Raeder, *Grammatica Theologica,* 79.

122) Vgl. *Werden und Wertung* (wie Anm. 3), 368ff.

123) Vgl. *ibid.,* 208f., 224.

124) Zur Zerstreuung der Juden als greifbaren Beweis für Gottes Zorn siehe den Kommentar zu Genesis 12, 3; *WA* 42. 448, 25-451, 34; bes. 448, 34ff.

125) April 1545; siehe G. Seebaß, *Das reformatorische Werk des Andreas Osiander* (wie Anm. 61), 82; vgl. *Corpus Reformatorum,* Bd. 5: *Philippi Melancht[h]onis Opera quae supersunt omnia,* hg. von C.G. Bretschneider, Halle 1838, Nachdruck New York 1963, 728f.

126) Zu Jonas siehe Walter Delius, *Lehre und Leben: Justus Jonas 1493-1555,* Gütersloh 1952. Jonas' Briefe sind nur teilweise verfügbar, in: *Der Briefwechsel des Justus Jonas,* 2 Bände, hg. von G. Kawerau, Halle 1884/85, Nachdruck Hildesheim 1964.

127) *Libellus Martini Lutheri, Christum Ieum [sic] verum Iudaeum et semen esse Abrahae, è Germanico versus, per I. Ionam,* Wittenberg 1524; vgl. *WA* 11. 309f.

128) Jonas fügte seiner lateinischen Übersetzung einen Widmungsbrief bei, in welchem es heißt, die Juden müßten sich ebenso von talmudischen Verdrehungen distanzieren, ›wie wir uns vom scotistischen und thomistischen Unfug‹: »Videmus plane contigisse Iudaeis, ut haud aliter a verbo Dei et simplicitate scripturae avocati sint Thalmudicis nugis ac nos Scotisticis et Thomisticis somniis.« *Briefwechsel des Justus Jonas* 1, 93, 4-6.

129) »Sed orandum est nobis pro hac gente, praesertim cum inter nos quoque non omnes Christiani sunt, qui titulum Christianismi gerunt.« *Ibid.,* 93, 12-14.

130) »Quin in lunares urbes regnum Iudaeorum translatum comminiscuntur?« *Ibid.,* 93, 11f.

131) *WA* 50. 312–337.

132) »Nos autem, quibus Deus hoc seculo aperuit libros sacros, quibus contigit hoc tempore aspicere claram lucem evangelii, iam cognitum habemus, nullos unquam doctores theologiae verae praestantiores sub sole vixisse, quam in illo populo Israel, ...«, *Briefwechsel des Justus Jonas* 1, 323, 19–22.

133) »Wir Heiden sind Gäste und Fremde, die in Christus Jesus, dem wahren Messias, an solch großen Gaben und Segnungen beteiligt, im Hause des Herrn sind – früher Gott-los in dieser Welt, heute Teilhaber sogar an den Geheimnissen Gottes, und zusammen mit Abraham und den großen Erzvätern zu einem Leibe gesammelt unter dem einen Haupt Christus.« *Ibid.,* 323, 26–30; Römer, Kapitel 11, 25–32.

134) »Ideo cum tam nobilis et sanctus populus sunt Iudaei, ex quorum plenitudine nos omnes accepimus, profecto perpetuam nos gentes eis debemus gratitudinem, ut quantum omnino fieri potest, quosdam ex eis adhuc quasi e medio naufragio servemus.« *Ibid.,* 324, 7–10.

135) »Hactenus in Iudeorum me mersi furias, postquam tu quiescendum esse consuluisti, dum aliam viam tentaretis.« *WABr* 10. 226, 19–21. Jonas' angestrengte Bemühungen vom März 1543, Luthers Traktat *Von den Juden und ihren Lügen* zu übersetzen, werden deutlich aus *WA* 53. 414. Ich bezweifle, daß der Herausgeber J. Luther recht geht in seiner Annahme, Jonas habe *Vom Schem Hamphoras* wegen sprachlicher Schwierigkeiten unübersetzt gelassen. *WA* 53. 573.

136) »Und summa: Weil diese Funffzehen hundert jare im Elende (da noch kein ende gewis ist noch werden kan) die Jueden nicht demuetigen noch zur erkentnis bringen, So muegt jr mit gutem gewissen an jnen verzweiveln. Denn es unmueglich ist, das Gott sein volck (wo sie es weren) so lange solt on trost und weissagung bleiben lassen.« *WA* 50. 336, 1–6.

137) »Oder ist solches nu verseumet und nicht geschehen, So lasst sie noch hinfaren jns land und gen Jerusalem, Tempel bawen, Priesterthum, Fuerstenthum und Mosen mit seinem gesetze auffrichten und also sie selbs widerumb Jueden werden und das Land besitzen. Wenn das geschehen ist, so sollen sie uns bald auff den ferssen nach sehen daher komen und auch Jueden werden. Thun sie das nicht, So ists aus der massen lecherlich,

das sie uns Heiden wollen bereden zu jrem verfallen gesetze, welches nu wol Funffzehenhundert jar verfaulet und kein gesetze mehr gewest ist. Und wir solten halten, das sie selbs nicht halten noch halten konnen, so lange sie Jerusalem und das Land nicht haben.« *WA* 50. 323, 36–324, 8.

Für die Erstfassung dieses Teils mit ausführlichem wissenschaftlichen Apparat siehe meinen Beitrag: »Three Sixteenth-Century Attitudes to Judaism: Reuchlin – Erasmus – Luther«, in: *Jewish Thought in the Sixteenth Century,* hg. von I. Twersky, Cambridge, Mass. 1982.

Teil II

Von der Agitation zur Reformation

Der Zeitgeist im ›Judenspiegel‹

Ich heysz eyn buchlijn
der iudenbeicht.
In allen orten vint man mich leicht
Vill neuwe meren synt myr wall bekant
Ich will mich spreyden in alle landt
Wer mich lyst den wunschen ich heyl
Doch das ich den iuden nit werde tzu deyl.

Johannes Pfefferkorn
Der Juden Beicht
Köln 1508

7. Geschichtsbewältigung und Geschichtsverfälschung

Die älteren Gesamtdarstellungen der Reformation berühren das Judenproblem nur beiläufig, die neueren übergehen es ganz und gar. Gesamtdarstellungen sind gehalten, gezielt die strukturellen Schaltstellen einer Epoche herauszuheben und sich nicht auf Seitenbühnen abdrängen zu lassen. So könnte es tatsächlich scheinen, als sei diese Schweigsamkeit nicht einmal eine zu korrigierende Fehlentwicklung. Wenn das Zeitalter von Humanismus und Reformation allenfalls am Rande, noch nicht völlig dem Mittelalter entwachsen, mit der Judenfrage befaßt ist, so scheint es irreführend, nach Ansätzen des Antisemitismus in jener Zeit Ausschau zu halten. Zudem ist die Vorgeschichte des Antisemitismus längst nicht auf das 16. Jahrhundert beschränkt.[1] Der statistikgläubige Historiker wird sich zudem davon beeindrukken lassen, daß nur ein Bruchteil der frühen Drucke direkt mit dem Thema »Juden« befaßt ist. Kurzum, es ist nicht überraschend, daß die Judenfrage des 16. Jahrhunderts weitgehend den Spezialisten überlassen blieb, als Sonderproblem ohne echte Verknüpfung mit den großen Themen der Zeit im Kampf um Glauben und Theologie, Kirche und Gesellschaft, Kaiser und Reich.

Ein ganz anderes Gesicht zeigt das 16. Jahrhundert, wenn man bereit ist, hinter dem Geschichtsablauf, hinter Daten und Ereignissen, nach Motiven und Beweggründen, nach Hoffnungen und Ängsten Ausschau zu halten. Unter diesem Gesichtspunkt der Mentalität wird man sich mit statistischen Erhebungen nicht zufriedengeben können:[2] Die Quellen enthüllen weit mehr, als ihrer Zahl nach zu erwarten ist. Im Zusammenhang mit der Judenfrage kommen nämlich Argumente, Probleme und Emotionen zum Vorschein, die Grundspannungen der

Zeit offenlegen. So werden die Judenschriften, damals gerne als ›Judenspiegel‹ verwendet, uns zum Zeitspiegel. Eben der Zeitspiegel zeigt, daß wir den Judenhaß in seinem Umfeld nicht erfassen, wenn wir ihn der Geschichte seiner Zeit entheben. Die Drucke des späten Mittelalters und der frühen Reformationszeit, vor allem die Flugschriften,[3] belegen, wie das Judenproblem mitgärt in den Wirren der Zeit und sich unter vielen Masken verhüllt.

Es gibt eine vorzügliche und wissenschaftlich bedeutende Spezialliteratur, die sich der Geschichte der Juden – ›Juden im Mittelalter‹ oder auch ›Juden in Deutschland‹ – widmet. Wo sie am Zeitgeschehen vorbei die Geschichte des jüdischen Volkes nacherzählt, wird eher additiv-chronistisch der mittelalterliche Judenspiegel fortgeschrieben, in der Wertung allerdings unter umgekehrten, aufgeklärten Vorzeichen. Anders als in isolierten Darstellungen zur Geschichte des jüdischen Volkes, sei es in bestimmten Ländern, Territorien oder Städten, wird in diesem Teil die Judenfrage in den Frühdrucken herangezogen als Epochenspiegel, und zwar im Dienste jener Geistesgeschichte, die Ideen und Mentalitäten nicht von konkreten Lebensbedingungen und ihrer Bewältigung loslöst;[4] mit der Erwartung, in der Gründungsphase einer neuen Zeit auch Umbrüche im Umfeld der Judenfrage beobachten zu können.

Solche Überlegungen bleiben hochgestochene Theorie, wenn an der ›Brunnenvergiftung‹ der aktuellen Geschichtsschreibung, an der Geschichtsverfälschung durch Geschichtsbewältigung, vorbeigeredet wird. Das heutige Ringen um die Vergangenheit zwingt uns zu der Erkenntnis, wie heikel das Unterfangen ist, die oft verschwiegene Holocaust-Dimension so zu verarbeiten, daß man ihr voll ins Gesicht sieht, ohne die Endlösung als das immer schon angelegte, unentrinnbare Ziel besonders der deutschen Geschichte festsetzen zu wollen. Entscheidend ist, ob es gelingt, nicht schuldbewußt, sondern quellenbewußt Geschichte zu schreiben. Keine schlechtere Geschichtsschreibung als dort, wo das schlechte Gewissen die Feder führt.

Wir müssen somit umsichtig Zugang finden zu den Namen, die in keiner Geschichte des Antisemitismus fehlen: Pfefferkorn, diesmal als Agitator; Luther, nun nicht mehr im Kontext der elitären Bildungswelt, sondern als volksnaher Autor eingängiger Flugschriften; und schließlich die Stadt Regensburg als eine Bühne, auf der Reform-Agitation und Judenhaß zusammenspielen.

8. Der unbekannte Pfefferkorn Außenseiter und Stimme der Zeit

Johannes Pfefferkorn hat zwischen 1507 und 1521 mehr ›Judenflugschriften‹ verfaßt als irgendein anderer Autor. Sie sind nahezu sämtlich in lateinischen oder deutschen Ausgaben mehrfach veröffentlicht, zunächst in Köln, bald aber auch in Speyer, Augsburg und Nürnberg.[5] Daß dem vermeintlichen Judenhasser Pfefferkorn bislang keine Monographie gewidmet worden ist, kann kaum überraschen, denn seine Schriften liegen nahezu ungelesen in unseren Bibliotheken versteckt und verstreut. Als Fanatiker verschrieen, erscheint er nur als Anlaß des Dunkelmännerstreits und als Auslöser der noch immer überzeichneten »Großoffensive« des deutschen Humanismus gegen die mittelalterliche Scholastik. Nicht Johannes Pfefferkorn, sondern sein Opponent, Johannes Reuchlin, hat als Opfer der Inquisition die volle Aufmerksamkeit auf sich gezogen.[6] Der erste ›Doctor Trilinguis‹ in Deutschland, der alle drei für das Bibelstudium notwendigen Sprachen beherrschte, hat sich, wie bereits erläutert, im Kampf für eine neue Bildung gegen alles unaufgeklärte Obskurantentum in der Geschichtsschreibung das Ansehen eines Judenfreundes erworben.

Während in den letzten Jahren Reuchlin neu gelesen wird und als Vertreter sowohl der Kabbala als auch der ›Weißen Magie‹ in der Renaissanceforschung Aufmerksamkeit gefunden hat, ist es um Pfefferkorn still geblieben. Jener berüchtigte Passus in seiner ersten Schrift, dem *Judenspiegel* (1507), in dem er die Forderung nach Beschlagnahme und Verbrennung der talmudischen Bücher formulierte, ermutigte niemanden, sich mit einem offenbaren Judenhetzer zu befassen – und schon gar nicht mit seiner Kritik am christlichen

Establishment. So aber wird der Zusammenhang von Endzeiterwartung, Reformhoffnung, Kirchenkritik und sozialem Protest nicht wahrgenommen.

Bereits im *Judenspiegel* hat Pfefferkorn eine baldige Umwälzung, wenn nicht sogar den Jüngsten Tag vorausgesagt. Vor dieser umfassenden Schlußabrechnung muß die Bekehrung aller Juden vollzogen sein. Pfefferkorn selbst ist es, der das Judenthema nicht isoliert, sondern in das angstgeladene Reformdrängen der Zeit hineinstellt: In der Welt sollte schleunigst mit aller Macht ›Recht‹ durchgesetzt werden. Für die Kirche ist es gefährlich, den Unsinn vom jüdischen Ritualmord zu verbreiten; damit macht sie sich zugleich lächerlich und unglaubwürdig. Der weltlichen Obrigkeit schließlich hält er vor, daß ihre Judenpolitik von Geldgier bestimmt ist,[7] ein Thema, das ganz allgemein in den Flugschriften bis 1525 mit zunehmender Vehemenz aufklingt. ›Umwälzung‹, ›Jüngstes Gericht‹, ›Anklage gegen Kirche und Obrigkeit‹ sind mit der Judenfrage so eng verflochten, daß es keine Behandlung des Judenproblems gibt, die nicht zugleich die Schwachstellen von Kirche und Gesellschaft insgesamt bloßlegt.

Pfefferkorns Flugschriften sind keineswegs auf den ›Gelehrtenstreit‹ der Dunkelmänner oder auf das Thema der ›Inquisition‹ zu reduzieren. Wie die Judenschriften insgesamt ist auch sein Schrifttum agitatorisch – also auf Wirkung über die Gelehrtenwelt hinaus – angelegt. Seine Agitation gehört in die Geschichte der Stadtunruhen und in die Vorgeschichte des Bauernkrieges. Der Einsatz des konvertierten Juden für seine Blutsbrüder zielt zunächst auf ihre Bekehrung und Taufe, dann aber auf ihre Sozialisierung in einer reformbedürftigen Gesellschaft. So erhalten wir Einblick in die Reformideale, in soziale Spannungen, in Zeit- und Kirchenkritik und sogar in Grundkomponenten menschlicher Existenz: Angst, Wut und Hoffnung. Flugschriften, niedrig im Preis, oft illustriert, immer eingängig, waren hier das geeignete Mittel, die Öffentlichkeit zu informieren, zu alarmieren und zu mobilisieren.

Bezeichnenderweise hat der hochgelehrte Reuchlin erst im Jahre 1511 entdeckt, daß er sich mit seinen anspruchsvollen lateinischen Schriften die Breitenwirkung genommen hatte. Er mußte Pfefferkorn darin nachahmen, die Öffentlichkeit – für ihn noch immer die gehobene Öffentlichkeit, die Entscheidungsgremien in Städten und Territorien – mit Schriften in deutscher Sprache zu belehren.

Bis in die jüngste Forschung hinein ist bedauert worden, daß Reuchlin sich in seinem *Augenspiegel* auf die Debatte mit Pfefferkorn eingelassen und damit herabgelassen hat. Es muß tatsächlich für den Humanisten eine schwerwiegende Entscheidung gewesen sein, Deutsch – noch dazu dieses Deutsch – mit Deutsch zu beantworten. Ihn bewegte aber nicht nur, daß in eben jener deutschen Öffentlichkeit sein Ruf Schaden nahm, sondern auch, daß der ›Taufjude‹ so öffentlich gelehrt hatte, »wie die untertanen imm reich ain uffrur und ufflauff gegen irer oberkait machen sollen ...«[8] Der gelehrte Richter in Stuttgart ist nicht allein der Humanist im einsamen Kampf gegen das Heer der Scholastiker und schon gar nicht der Philosemit in Abwehr der Judenhetze. Er ist der Exponent einer kaisertreuen, gehobenen Bürgerschicht, der in Pfefferkorns Flugschriften – für Reuchlin ohnehin eine minderwertige Literaturgattung – jene Agitation wittert, die Ruhe und Ordnung im Reich gefährdet.

Wie gesagt: Die Judenfrage darf nicht isoliert werden von den sozialen Umschichtungen am Anfang des 16. Jahrhunderts. Der hier offenbare gesellschaftliche Zündstoff ist keineswegs nur bei Pfefferkorn und seinem Kreis angelegt. Sozialkritik und religiöse Spannung waren in den Städten vor allem Oberdeutschlands vermengt und allgemein verbreitet, getragen von einer Koalition zwischen Bettelmönchen und Handwerkern, von niederem Klerus und Zünften. Die neue Sicht auf den Fall Pfefferkorn bringt mehr als die Revision des gängigen Urteils über eine einzelne Person. Beleuchtet wird jetzt jene andere Seite der Judenfrage, die sich verbirgt hinter der eingefahrenen Verkopplung seiner Gestalt mit rücksichtsloser Inquisition, scholastischer Ignoranz und blankem Konvertitenhaß. Der unbekannte Pfefferkorn ist absoluter Außenseiter und zugleich Stimme der Zeit. Als Konvertit galt seine Bekehrung den einen als verräterischer Bundesbruch, den anderen als verschlagene Verstellung. Aus dieser heillosen Lage des Außenseiters zwischen den Religionen entdeckt er die Gebrechen beider Seiten: Die Verstocktheit der Juden und die stupide Härte der Christen.

Als Stimme der Zeit gibt er Auskunft über das Gärungspotential seiner Gesellschaft und bezeugt die Zuspitzung aller sozialen Spannungen und religiösen Konflikte angesichts der Angst vor dem Ende und der Hoffnung auf die Wende. In dieser Hinsicht ist Pfefferkorn alles andere als ein »Außenseiter«.

9. Luther und der Zeitgeist

Die rapide anwachsende Literatur zum Thema
›Luther und die Juden‹[9] ist weitgehend von unserer Zeit-
geschichte geprägt. Anders ist es nicht zu deuten, daß ein
Großteil der Forschungsenergie investiert wird in die
Frage nach Luthers angeblicher Umkehr und Abkehr
von den Juden seit 1523. Mit welchen Intentionen auch
immer: Luther wird aus seiner Zeit herausgelöst und als
zeitloses Eigenthema verhandelt. So ist es möglich und
sogar naheliegend, daß die Kritiker ihn als Hauptschuldi-
gen der dramatischen Folgegeschichte plakatieren. Genauso ist es verständlich, daß alle, die in dem großen
Reformator den Erneuerer der abendländischen Kirche
und den Vorreiter, ja Vordenker der Neuzeit finden, in
ihm zugleich den grundsätzlichen Überwinder des mittelalterlichen Judenhasses entdecken wollen. Luther hat
ja tatsächlich im Jahr 1523 Aussagen gemacht, die eine
ganze Epoche von Judenhaß verklagen: »Denn sie haben
mit den Juden gehandelt als weren es hunde und nicht
menschen.«[10]

Falls man in Luther nur den Zeugen der Neuzeit
anerkennt, ist es konsequent, diese Aussage in seiner
Schrift *Daß Jesus Christus ein geborner Jude sei* als das
entscheidende Wort desjenigen zu betrachten, der in so
vielen Bereichen dem Mittelalter gegenüber neue Wege
gebahnt hat. Doch der Zusammenklang seiner späteren
Schriften, vor allem aus den vierziger Jahren, mit dem
Judengutachten aus dem Jahre 1514 enthüllt, daß hier
»Rettungsversuche« im Gange sind.

Mag auch die Diskussion um seine angebliche
Sinnesänderung schneller gelöst werden können, als die
einschlägige Literatur erwarten läßt, so droht dennoch
die Frage ›Luther und die Juden‹ in eine doppelte Sackgasse zu führen.

Zum einen darf das Judenthema innerhalb der Theologie Luthers nicht verselbständigt werden. Von seiner Warte aus gesehen gibt es kein Thema ›Luther und die Juden‹. Vielmehr ist die schon in der Tradition bereitgestellte Unheilskette zu bedenken, die Luther aufgreift, um die Gefahren seiner Zeit namhaft zu machen: Die Gegner Gottes finden immer zusammen – Juden, Häretiker, Papst und Türken.[11] Eben nicht allein den Juden, sondern auch den Türken und Häretikern gegenüber fordert Luther, besonders seit Anfang der dreißiger Jahre, von der Obrigkeit eine härtere Haltung.

Eine weitere Engführung weist erst recht die Grenzen der bisherigen Lutherforschung auf. Ebenso selbstsicher wie orientierungslos fällt das Urteil über das 16. Jahrhundert, ohne Gespür für die Sprache des »Grobianismus« und ihre Nuancen sowie ohne Maßstab für den damaligen Stand der Härteskala in der Judenklage. Die Gegenüberstellung ›Luther und die Juden‹ läßt sich nicht durchführen ohne Verarbeitung der zeitgenössischen Stellungnahmen. Um außerdem die evangelischen Ansätze seines Judenprogramms bis in die vierziger Jahre hinein bemessen zu können, ist es unumgänglich, auch die Stimmen seiner Gegner aus dem altgläubigen Lager zu hören: Der älteste und unerbittlichste unter ihnen war der bedeutendste Gegenreformator Deutschlands, Johannes Eck, Professor an der Universität Ingolstadt. Aus seiner Schrift vom Jahre 1541 ›Wider die Verteidigung der Juden‹ – *Ains Judenbüechlins Verlegung* – wird zweierlei sichtbar: Eck und Luther, in allen anstehenden Glaubensfragen konträr, geben sich aus moderner Sicht in der Unerbittlichkeit ihrer Judenabwehr kaum etwas nach. So grob und vielleicht sogar ›völkisch‹ uns bereits der Titel der Lutherschrift *Von den Juden und ihren Lügen* (1543) anmutet, so wird erst im Vergleich zu Ecks ungebrochenem Rückgriff auf mittelalterliche Kindermordanklagen deutlich, daß der Wittenberger auf die rechte, somit objektivierbare und damit grundsätzlich diskussionsfähige Deutung der Heiligen

Schrift drängt: Nicht Sakramentsschändung, nicht jüdische Blutrünstigkeit, sondern theologische Irreführung wird als lebensgefährlich angeprangert. Luther weiß sehr wohl von den Greuelgeschichten, die den Juden nachgesagt werden, glaubt auch – wohl mit Recht, denn alles andere wäre unverständlich –, daß die Juden mit Haß gegen Christen erfüllt sind. Deshalb ruft er zur »scharfen (!) Barmherzigkeit«. Es bleibt trotz der Schärfe die Barmherzigkeit, weil man eben nicht von jüdischer Kollektivschuld ausgehen und sich somit nicht am einzelnen Juden ›rächen‹ darf. Bei aller mit Eck gemeinsamen Unnachgiebigkeit entdecken wir im Vergleich, daß Luther den Sprung wagt vom Rufmord zum Wahrheitskampf.

In der gegenreformatorischen Propaganda Ecks wird Wittenberg zum Treibhaus der Judenliebe umstilisiert.[12] Vor allem Luthers »judenfreundliche« Schrift vom Jahre 1523 dürfte dieser »Entlarvung« als Beleg gedient haben. Doch auch Judenachtung ist erst im Kontext richtig einzuschätzen. Zur Bewertung wird als zeitgenössischer Gradmesser ein früher Bundesgenosse Luthers herangezogen: Johann Eberlin von Günzburg, die Stimme der Reformation in Oberdeutschland. Bei Ulrich Morhart noch in Tübingen erschien 1523 Eberlins anonym veröffentlichte Flugschrift *Der Glocken Turm*.[13] Einwohner von Günzburg waren dem Ratsverbot zuwider »ausgelaufen«, sie hatten die Predigten des evangelischen Pfarrers Hans Wehe im benachbarten Leipheim besucht. Deshalb waren sie mit Gefängnis bestraft und in den Turm der Günzburger Kirche eingesperrt worden. Gegen den Mißbrauch des Gefängnisses als Instrument der Ungerechtigkeit läßt Eberlin den Kirchturm selbst Alarm schlagen.

Wie bereits bei Pfefferkorn wird auch hier die Judenfrage eingebettet zwischen Protest und Erwartung, zwischen Kritik am sozialen Unrecht und der Hoffnung auf eine große Umwälzung, jene »Alteration«, die Tübingens berühmter Astrologe Johannes Stöffler († 1531) für

96

das Jahr 1524 aus der Sternkonstellation vorausgesagt hatte.[14] Anders aber als Pfefferkorn sieht Eberlin diese Umwälzung nicht in der großen Revolution sondern im Durchbruch des Evangeliums, denn die Zeit, so vertraut er optimistisch, ist »ein meysterin der warheit«.[15] Für kurze Zeit sind noch die »großen Hansen« am Schalthebel der Macht,[16] unterdrücken das Evangelium und trotzen dem jüngsten Reichstagsabschied zu Nürnberg (6. März 1523), der – so deutet Eberlin – die reformatorische Predigt freigegeben hat.[17] Auch ein Gefängnis wird den Durchbruch der Wahrheit nicht hindern, denn wenn Turmstrafe Glauben erzwingen könnte, warum sind nicht längst die Juden eingesperrt worden?

In der von Eberlin selbst gegebenen Antwort wird der traditionell antijüdische Vorwurf der finanziellen Ausbeutung zum auferlegten Judengeschick gewendet: Durch die Geldgier der verteufelten, ja diabolischen Obrigkeit werden die Juden zum Wucher gezwungen. Sie dürfen nur deshalb frei herumlaufen, weil sonst der Obrigkeit die zum Himmel schreiende Steuer abgeht, die sie jährlich den Juden auferlegt und Wucher somit geradezu erzwingt – »würdt inen der ungötlich zynß abgon, den sie järlich auß inen schätzen, und sie also zum wucher ursachend ...«.[18]

Genau diese Spitze hat Luthers Judenschrift vom Jahre 1523, und zwar gegen die geistliche Obrigkeit gerichtet. Seine Kritik an der bisherigen Judenpolitik ist Glied in der Beweiskette für die kirchliche Unterdrükkung und Irreführung, nicht aber, wie oft falsch gedeutet, ein Aufruf zur Judenemanzipation. In die gleiche Kerbe schlug Erasmus, der – wie bereits zitiert – scheinbar so befreiend formulierte: »Wenn Judenhaß der Ausweis echten Christenlebens ist, dann sind wir alle vorzügliche Christen.«[19] Dieser moralische Vorwurf, dessen direkte Parallele sich also 1523 bei Luther findet,[20] kann ohne Widerspruch, sogar ohne Spannung neben dem lebenslangen, tief verwurzelten Judenhaß des Erasmus bestehen.[21] Da aber der Rotterdamer nur mühsam mit der

Geschichte des Dritten Reiches in Verbindung gebracht werden kann, ist er bei dem Versuch, den Luther des Jahres 1523 apologetisch zum Judenfreund zurechtzurükken, bislang als Interpretationszeuge nicht berücksichtigt worden. Auch hier hat die Isolierung des großen Wittenbergers üble Früchte gezeitigt, denn Erasmus hätte eines Besseren belehren können: Nicht das Judentum wird aufgewertet, sondern die Christenheit ist angegriffen. Diese Angriffsfront ist allerdings neu gegenüber dem Zeitgeist, dessen sind Erasmus und Luther sich bewußt.

Regensburg 1519
Stadtvertreibung und
Sozialprotest

Ein enthüllender Bestandteil der antijüdischen
Agitation ist die gewöhnlich als Rechtfertigung vorgeleg-
te Kurzgeschichte der Judenvertreibungen, vor allem in
den Flugschriften zu städtischen Judenvertreibungen.
Die Auflistung der Ausweisungen dient als Beweis für
einen gesamteuropäischen christlichen Konsensus mit
dem Ziel, der Obrigkeit eines »immer noch« von Juden
besiedelten Territoriums oder einer »leider noch nicht«
judenfreien Stadt, die »notwendigen, längst überfälli-
gen« Maßnahmen endlich beizubringen.

Während des Durchbruchs der Reformation ist die
Frage der Judentoleranz in einzelnen Territorien wie
Sachsen oder Hessen noch offen. Im städtischen Bereich
aber ist die Austreibung bereits nahezu abgeschlossen.
Als eine der letzten Städte beschließt Regensburg am
21. Februar 1519 – wie immer in der für Juden brandge-
fährlichen Passionszeit –, ihrer Judensiedlung, eine der
größten und ältesten im Reich, innerhalb von vier Tagen
ein jähes Ende zu bereiten. Nicht nur in den Flugschriften der zwanziger Jahre wird das Drama von Regensburg
gerne als »krönender Abschluß« aufgeführt, sondern
auch die moderne Forschung hat sich vorzugsweise Regensburg zugewendet, wohl nicht nur wegen der ausge-
zeichneten Quellenlage und der vorzüglichen Akten-
sammlung von Raphael Straus.[22]

Der Fernsteuerung durch sich aufdrängende Parallelen zwischen Regensburg und Ravensbrück ist kaum
zu entgehen. Es geht dabei jedoch nicht nur um Versuche
zur Geschichtsbewältigung aus der Zeit nach dem Dritten Reich; die Parallelen sind entscheidend früher geradezu programmatisch angelegt von Wilhelm Grau in seiner Regensburg-Monographie aus dem Jahre 1934: *Anti-*

semitismus im späten Mittelalter.[23] Der erste Satz des Geleitwortes enthüllt bereits die Schlagrichtung der NS-Zeit: »Die Geschichtswissenschaft ist vor andern verpflichtet, mitzuarbeiten an der politischen Erziehung unseres Volkes.«[24] In seiner Einleitung bemüht Grau sogar das Plädoyer des großen liberalen Historikers Johann Huizinga für eine engagierte Geschichtsschreibung, um seinem eigenen Eingangssatz Glaubwürdigkeit zu verleihen: »Die Judenfrage war für jede Stunde der abendländischen und vornehmlich der deutschen Geschichte ein Problem, ungelöst und unerlöst ... Wann wird es gelingen, sie endgültig zu lösen?«[25] Hier kündigt sich die ›Endlösung‹ – im deutschen Sprachgebrauch wohl zum ersten Male – vornehm wissenschaftlich an.

Im Gegenschlag zur rassischen Deutung werden seit dem Zweiten Weltkrieg religiöse wie wirtschaftliche Faktoren hervorgehoben.[26] Doch beanspruchen und absorbieren sowohl die nazistische Aufstellung als auch die gezielt ideologieferne Widerlegung der Rassismusthese so viel Forschungsenergie, daß der in den Flugschriften gebotene eigene Zugang zur Zeit des 16. Jahrhunderts eher blockiert als eröffnet wird. Gerade die abstrakte Debatte der Historiker über so hochfahrende Probleme wie »geschichtstranszendierende Kausalitäten« hat im Gegenzug ein Suchen nach Lebensnähe und Konkretion, und ein Hören auf den »gemeinen Mann« ausgelöst, das sich in verstärkter Beschäftigung mit Flugschriften, Nachrichten und Kurzchroniken niederschlägt.

Die Regensburger Ereignisse finden ihren Niederschlag in solch »lebensnahen« Quellen. Hier wird deutlich, daß die Geschehnisse weder in einer Lokalgeschichte versteckt, noch auf eine separierte Spezialgeschichte über Juden in Deutschland begrenzt werden dürfen. Diese Art von Quellen ermöglicht es, die Frage nach dem Judenproblem im 16. Jahrhundert nicht allein aus der Sicht einzelner herausragender Gestalten zu beantworten, auch wenn es eine verfehlte Hoffnung ist, den Mann auf der Straße zum Sprechen zu bringen.

Zweierlei wird im Bereich dieser »mittleren Ebe-ne« deutlich: Die Austreibung ist einmal mit der Ge-schichte der sozialen Unruhen in Stadt und Land bis zum Bauernkrieg (1524–1526) engstens verbunden. Zweitens treten die neuen Züge und Ansätze, die wir bei der geisti-gen Vorhut ausmachen konnten, jetzt zurück. Man entdeckt vielmehr auf eben dieser mittleren Ebene in Polemik und Agitation, wie das späte Mittelalter fort-dauert und in ungebrochener Lebendigkeit die Grenzen zum 16. Jahrhundert überspringt. Es ist deshalb die hart-näckige These von der Diskontinuität zu widerlegen, die, festgemacht an Regensburg, die Forschung zu den Ju-denvertreibungen durchzieht und seit Grau unwider-sprochen geblieben ist: »An der Schwelle der Reforma-tion, die die Marienverehrung verwarf, unter Führung von Männern, die wenige Jahre später leidenschaftliche Künder der neuen Lehre wurden, entstand jetzt in Re-gensburg eine Marienverehrung größten Stiles, gesättigt mit den Farben mittelalterlichen Geistes, demonstrativ zur Schau getragen als Symbol des Triumphes über die Juden, durchwirkt mit materiellen Interessen und politi-schen Absichten. Die Welt des Mittelalters, am Ende ihrer Kraft, erhebt noch einmal ihr Haupt, um sich ein letztes Mal im vollen Maße auszugeben und dann erschöpft zurückzusinken.«[27]

Die Welt des Mittelalters erweist sich keineswegs als erschöpft und gar »am Ende ihrer Kraft«. Es ist dem damaligen Regensburger Prediger, Balthasar Hubmaier (†1528),[28] gelungen, die Massen gegen die patrizisch-kai-serliche Fraktion im Stadtrat zu mobilisieren. Er konnte sich dabei auf längst gängige und in ihrer Wirksamkeit erprobte antijüdische Argumente stützen; der ganz Eu-ropa durchziehende soziale Protest verbindet sich mit antijüdischem Sentiment zur politisch stoßkräftigen Agi-tation. Das anschauliche Zeugnis dieser Polemik bietet uns der Stadtchronist Christoph Hoffmann in seiner Dar-stellung (10. Juni 1519) der Vorgänge, die kaum fünf Monate zuvor, also in der Fastenzeit, zur Vertreibung der

Juden aus Regensburg geführt haben: Gegen anfängli-
chen Widerstand und dem kaiserlichen Verbot zum
Trotz verkündige der große Doktor Hubmaier uner-
schrocken das Wort Gottes gegen jenes Volk, das zugleich ›arbeitsscheu, geil und gierig‹ ist.[29] Als guter Hirte
habe Hubmaier sich vor die Schafe Christi gestellt. Wie
Gott ihn aus Barmherzigkeit als Propheten nach Regensburg geführt hat,[30] so hat auch der Prophet aus Erbarmen
die Juden als Stadtplage entlarvt und ihre Vertreibung
aus Regensburg mutig vorangetrieben.[31]

An der Reaktion von Hubmaiers Hörern, als sie
vom Austreibungsbeschluß des Rates erfahren, ist die
Wirkung dieser agitatorischen Straßenpredigt abzulesen.
Mit Freudentränen – so Hoffmann – dankt die zusam-
mengeströmte Bevölkerung dafür, daß Jesus Christus
sich nach seinem armen Volk umgesehen habe, um das
verelendete Regensburg von den perfiden Juden zu be-
freien: Die Austreibung wird wortwörtlich zur Emanzipation – »liberare et emancipare«! Das sind sie, die Juden
– arbeitsscheu, geil und gierig – »otio, veneri usurisque
deditum«![32] Bald richtet sich diese Anklage mit immer
härter werdender Massivität gegen die Bettelmönche
und alsdann gegen die Altgläubigen allgemein.

Obwohl in der Sprache lateinisch und in der Gattung eine faktenorientierte Kurzchronik,[33] verdichtet
sich Hoffmanns Augenzeugenbericht in seinem zeitge-
schichtlichen Schlußteil zur aufpeitschenden Agitation
auf der Schwelle zur Reformation. Es ist aber nicht die
Wortgewalt, der Hoffmann die durchschlagende Wirkung Hubmaiers zuschreibt, vielmehr bricht die nie erlo-
schene mittelalterliche Endzeitvorstellung auf mit der
Hoffnung, daß Gott direkt eingreift und am Ende der
Tage einen neuen Propheten beruft und sendet, dessen
Predigt die Herrschaft der Gottlosen endgültig überwin-
det.

Unverkennbar konnte Hoffmann neben dieser
endzeitlichen Erwartung eines neuen Propheten Elia[34]
eine weitere mittelalterliche Tradition schlicht fortset-

102

zen: die massive Judenpolemik, die vor allem von Bettelmönchen vorangetrieben wurde – mit Argumenten, die
sich bald gegen sie selbst kehren sollten. Als Hoffmanns
Vorläufer und Vorlage ist besonders an die grobschlächtig antijüdische Marktpredigt des Dominikaners Peter
Schwarz (Niger) aus dem Jahre 1474 zu denken, die bereits im nächsten Jahr in Eßlingen und Nürnberg veröffentlicht wurde.[35] Noch penetranter als Schwarz ist die
›Darstellung der Grausamkeiten der Juden‹, das *Fortalitium fidei* des Franziskaners Alfonsus de Spina († 1469),
verfaßt um 1460, erstmals gedruckt in Straßburg 1471 mit
einer Reihe von Nachdrucken in Basel, Nürnberg und
Lyon (1511).[36] Der Refrain aller dieser Judenschriften
klingt immer in dem Gleichen zusammen: Die Gottes-
mörder sind nicht nur Gegner der Kirche, sondern die
Beulenpest der Gesellschaft. Nicht zufrieden mit dem
einen Mord an Christus, trachten sie allen Christen nach
Blut und Gut.

Ein dritter mittelalterlicher Bestseller, ebenfalls
damals in Regensburg vorhanden, führt, wie hier hervorzuheben ist, hinüber ins Zeitalter der Reformation. Es
handelt sich hier um die weitverbreitete *Epistola de
Adventu Messiae*[37], die im Jahre 1523 von Ludwig Hätzer
(† 1529) ins Deutsche übersetzt wurde unter dem Titel
Ain beweysung das der war messias kommen sei.[38] Hätzer,
Gesinnungsgenosse Hubmaiers und Zwingli-Schüler
wie dieser, war bei Erscheinen seiner mit Verbalinjurien
durchsetzten Schrift im Jahre 1524 bereits mit Zwingli
zerstritten. Es sind nicht die Juden, die nunmehr seine
Reformkritik auf sich ziehen, sondern der Zürcher Rat,
der sich weigert, Zinsnehmen strikt zu verbieten. Weil
der Rat sich sperrt, geht Hätzer seinen eigenen, eben täu-
ferischen Weg;[39] er zielt in der zweiten Fassung der ›Beweysung‹ schon auf Zwingli. Die großen Opfer der
innerchristlichen Intoleranz des 16. Jahrhunderts, der
sogenannte linke Flügel der Reformation, anfänglich die
Täufer, waren alles andere als Judenfreunde: Sie gehörten jenen mittleren Schichten der kleinen, vielfach

unselbständigen Handwerker an, die bereits seit einem Jahrhundert die städtische Judenhetze vorangetrieben hatten.

Wie weitgehend sozialer Protest und Judenpredigt verquickt sind, wird wiederum offenbar durch das Protokoll des Regensburger Rates vom Jahre 1518 über den Franziskaner Konrad Schwarz. Hier wird ersichtlich, daß seine Predigt gegen Wucher, Zins und Marktmanipulation sich eben nicht nur gegen die Juden, sondern zugleich gegen den Regensburger Rat gerichtet hatte. Konrad Schwarz wurde angeklagt, zum Aufruhr aufgerufen zu haben mit der schon längst verdächtigen Begründung: Allen gehört, wessen alle bedürfen – »in necessitate omnia sunt communia«. Am 16. Mai 1525 sollte diese Sentenz den Kern des von Thomas Müntzer nach peinlicher Befragung entlockten Bekenntnisses bilden.[40]

11. Agitation und Judenhetze

Für die Durchführung von Agitation und Propaganda lassen sich die aufgeführten Beobachtungen in folgenden vier Gesichtspunkte zusammenfassen:

1. Flugschriften sind bereits ein vorreformatorisches Publikationsmittel, das formal und inhaltlich mit den sogenannten reformatorischen Flugschriften zusammenzuschauen ist. In ihrem agitatorischen Potential sind sie also nicht als Entdeckung des 16. Jahrhunderts zu bezeichnen. Eben die Judenflugschriften sind spätmittelalterlicher Provenienz.

2. Für die Verbreitung der Reformation gilt ohne Abstriche die Aussage: »Die mündliche Verkündigung wurde aufs nachhaltigste unterstützt durch die Flut der Flugschriften.«[41] Die Druckproduktion steigt im 16. Jahrhundert ohne Zweifel rapide an, die Verkopplung aber von (Wander-)Predigt und Flugschriften ist nicht typisch für die frühe Neuzeit. Sie gilt schon für das späte Mittelalter. Für die Reformationszeit ist darüber hinaus zu bedenken, daß die Gattung der Predigt den Flugschriften vorausliegt, diese begleitet und ihrerseits als mündlicher Multiplikator weiter greift als die Flugschriften, da auch die nicht lesende Schicht direkt und persönlich angesprochen wird. Die wirkungsvolle Verbindung von Predigt und Flugschrift hat aber nicht nur die Einführung der Reformation vorangetrieben, sondern in Zeiten, die noch nicht weit zurücklagen, auch die Vertreibung der Juden beschleunigt.

3. Das Zentrum der Emotionen, auf das die Agitation abzielt, ist bei weitem nicht nur die heute gern bemühte Angst. Die Angst – und damit unlösbar verbunden die Hoffnung – bezieht sich tatsächlich auf das Nahen des Jüngsten Tages, auf die Bedrohung durch den

Teufel und das Gericht Gottes. In dem Maße aber, in dem Information Kausalitäten bloßlegt und ent-deckt, in dem Maße, in dem sie Katastrophen auf menschliches Versagen zurückführt, bezweckt die agitatorische Information, Angst umzusetzen in Zorn – ob nun auf Juden, Obrigkeit oder Kirche. Zorn wirkt dann als Energiequelle, um die Barrikaden auf dem Weg zur Reform von Kirche und Gesellschaft zu räumen.

4. Das moderne Interesse an den Flugschriften ist getragen von der Erwartung, eben hier, weit entfernt von aller Bildungsabstraktion und Steuerung von oben, das ungelenkte, ursprüngliche und spontane Volksempfinden bis an die Wurzeln greifen zu können. Ob wir so wirklich an das Volksempfinden herankommen, bleibt fraglich. Genau wie bei den zahlreichen überlieferten Predigten weiß man auch bei den Flugschriften nur von dem, was auf den Markt gebracht, nicht aber, was tatsächlich gekauft wird.

In dem agitatorischen Bemühen, einzuhaken bei dem, was in den Wirtschaften und Gassen geredet wird, ist zudem die didaktische Zielsetzung und die Unterweisung ›von oben‹ ernstzunehmen.[42] Ohne Information keine Agitation. Das heißt, auch Flugschriften sind Steuerungsinstrumente. Es handelt sich, wie im ›Judenspiegel‹ sichtbar, bei der immer wieder bezeugten ›spontanen‹ Volkswut nicht schlicht um Popularreligion, um ›grassroots‹ oder ›popular religion‹. Vielmehr wird in den Flugschriften, bewußt gesteuert, die mittelalterliche Bußpredigt fortgesetzt, zwar jetzt über die Sünde des einzelnen hinaus neu orientiert an den »Gebrechen« der Gemeinschaft, aber um so vehementer, als der Kampf nicht länger dem äußeren, sondern nun dem inneren Feind gilt: zunächst den Juden, dann den Mönchen, Pfaffen und schließlich den ›großen Hansen‹ insgesamt.

12. Judenangst zwischen Frömmigkeit und Aberglaube

An den vorgeführten Testfällen – Pfefferkorn, Luther und Regensburg – wurden die strukturellen und inhaltlichen Parallelen zwischen den Dimensionen von Judenhaß, Antiklerikalismus und Obrigkeitskritik deutlich. Klagen und Beschwerden über Kleriker, besonders über Bettelmönche, sind an der Auseinandersetzung mit den ›faulen, geilen und gierigen‹ Juden eingeübt. Bereits bei Pfefferkorn geht das einher mit unerwartet expliziter Kritik an den die Juden schützenden Obrigkeiten.

Für die moderne parteiergreifende Geschichtsdarstellung wird diese Beobachtung ihre Folgen zeitigen müssen. Allgemein kann gesagt werden, daß sich der Nachkriegshistoriker bei der Beurteilung der Judenschriften in seinen Wertmaßstäben auf die Seite der bedrängten und nahezu rechtlosen Juden stellt. Derselbe »liberale« Historiker ist in der sozialen Frage durchweg geneigt, die Obrigkeiten als konservativ und machtlüstern zu verdammen, die Opposition hingegen, durch Zünfte oder gärende Masse vertreten, als progressiv, zukunftsweisend und protodemokratisch darzustellen. Jetzt aber, konfrontiert mit dem Phänomen der judenschützenden Obrigkeit, wird offenbar, daß seine Werteskala modernen Denkrastern entstammt, welche die damaligen Verhältnisse simplifizierend, ja moralisierend überspielt.

Zu den eingefahrenen Denkrastern gehört ein weiteres: Ob nun das 16. Jahrhundert als frühe Neuzeit oder als Zeitalter von Humanismus und Reformation bezeichnet wird, immer lauert die Suggestion, das Mittelalter sei abgeschlossen oder wenigstens seinem Ende nahe. Dem entspringt auch die bereits angeführte These, die Judenvertreibung in Regensburg gehe einher mit einer letzten

Blüte der dann bald überwundenen Marienverehrung. Wir haben hier nicht über wahre und falsche Frömmigkeit zu urteilen, sondern festzuhalten, daß Frömmigkeit – und, recht verstanden, auch die Verehrung der Mutter Gottes – nicht etwas Mittelalterliches und Überwundenes ist, sondern im Gegenteil die frühe Neuzeit genauso prägt und lenkt wie politische und soziale Interessen.

Die Mutter Gottes und ewige Jungfrau Maria spielt in der Auseinandersetzung mit den Juden durchgehend eine herausragende Rolle. Es gibt kaum ein Streitgespräch, in dem nicht der Jude darauf hinweist, daß die Übersetzung von Jesaja, Kapitel 7, 14 – »siehe, eine Jungfrau ist schwanger und wird einen Sohn gebären, den wird sie heißen Emanuel« – falsch ist, da das hebräische Wort »'alma« gerade nicht »Jungfrau«, sondern – wie heute allgemein anerkannt – »junge Frau« bedeutet. Dieser Einwand gegen einen Schlüsseltext für die christliche Inanspruchnahme der alttestamentlichen Prophetie löst dann von christlicher Seite handbuchmäßig eine Reihe von Verfluchungen aus, da doch Maria, unberührt und unbefleckt – ›intacta et immaculata‹[43] –, schon von alters her im unverzehrt brennenden Dornbusch (2. Mose, Kapitel 3) angekündigt ist: So wie der Dornbusch nicht zur Asche wurde, sondern unversehrt blieb, als Gott in Flammen sich in ihm vor Mose offenbarte, so blieb auch Maria unversehrt von aller Sünde, als Gott in ihr zur Welt kam. Da also solch wunderbares Erscheinen Gottes – wider alle Gesetze der Natur – dem Juden aus seinem eigenen, dem Alten Testament sehr wohl bekannt sein muß, ist das Unwissen nicht Blindheit, sondern böswillige und diabolische Verleugnung, die zu bekämpfen ist.[44] In der antijüdischen Volkspredigt, durch die Flugschriften überregional verbreitet, wiegt die Verunglimpfung der Mutter des Herrn oft noch schwerer als Hostiendiebstahl, Ritualmord und – nur noch im Einzelfall – Brunnenvergiftung.

Die übliche Darstellung der mittelalterlichen Mariologie schließt ab mit dem Streit zwischen den Verfechtern der unbefleckten Empfängnis Mariens und ihren Gegnern im Dominikanerorden, die darauf bestehen, daß die Mutter des Herrn wie alle Menschen in Sünden empfangen hat. Die Spezialliteratur erwähnt allenfalls den öffentlichen Höhepunkt des Streits, den Berner Jetzerskandal, als 1509 vier Dominikaner mit dem Feuertod bestraft wurden eines blasphemischen Verbrechens wegen: Sie hatten drei Jahre zuvor einen Schneidergesellen namens Jetzer angestiftet zu verbreiten, die Gottesmutter habe ihm in einer Erscheinung ihre befleckte Empfängnis selbst bezeugt.[45] Für die Anfänge der Reformation erscheinen heute diese Skandale und Auseinandersetzungen nur noch als Vergangenheit, Mariologie gilt höchstens als theologiegeschichtlich relevanter, nur noch im Privatbereich gepflegter Restbestand. Das ist unhaltbar und irreführend: Die Marienfrömmigkeit erhält nämlich zusehends eine soziale Spannkraft.[46] In der spezifisch franziskanischen Volkspredigt war unter Rückgriff auf die »Ehe« des heiligen Franz mit der Jungfrau »Armut« die unbefleckte, arme Magd Maria zum allgegenwärtigen Identifikationssymbol für die Entrechteten, Armen und Schutzbedürftigen geworden. Im Lobgesang Mariens, dem *Magnificat*, erhält die Stelle des Evangelisten Lukas, Kapitel 1, 52 – »er hat die Mächtigen von ihrem Thron gestoßen« – eine Brisanz, die jederzeit für radikale Reform, Reformation oder auch Revolution aktiviert werden konnte. Bei Luther bereits im Jahre 1519[47] und bei Müntzer in steigendem Maße bis zu seinem Tode 1525,[48] ist diese Reformsprengkraft auf je eigene Weise dokumentiert.[49]

Auch Balthasar Hubmaier weiß sich in Regensburg während des Februar 1519 gegen den Stadtrat durchzusetzen, indem er so empört die jüdische Entehrung Mariens einprägt, daß in einer wahren Marienpsychose in kürzester Zeit unter Beteiligung der gesamten Bevölkerung die Synagoge zerstört und statt ihrer eine Marienkapelle erbaut wird. Gleiches vollzieht sich, gänzlich unabhängig von Hubmaier, in Bamberg, Nürnberg,

Rothenburg und Würzburg.[50] Wir sind also auf den Zeitgeist gestoßen.

Noch aber ist die Grauzone von Angst und Verfolgung nicht durchstoßen, wenngleich der Übergang von Frömmigkeit zum Aberglauben längst nahegerückt ist. Die Anschuldigungen auf Sakramentsschändung und Ritualmord bereiten nämlich vor auf die erst nach den Judenvertreibungen voll durchbrechenden Hexenverfolgungen. Während der Hexenhammer (*Malleus Maleficarum,* verfaßt um 1487),[51] das offizielle Handbuch der Hexenjäger, in den letzten Jahren gründlicher erforscht wurde, ist eine Parallele zum Hexenhammer bislang übergangen worden: die *Pharetra catholice fidei,* wörtlich als ›Pfeilköcher‹ zu übersetzen, zutreffender aber als ›Judenhammer‹ zu bezeichnen. Geographisch weit über das Verbreitungsgebiet des Hexenhammers hinausgehend, erreichte die etwa acht Jahre später veröffentlichte *Pharetra* eine noch höhere Auflage, wohl deshalb, weil sie nicht nur an gelehrte Theologen und zuständige Inquisitoren gerichtet war. Der Nürnberger Meistersinger und Drucker eigener Werke, besonders für die in den Zünften organisierte Handwerkerschicht, Hans Folz († 1513) verfaßte eine verschärfende deutsche Übertragung.[52] Die anspruchslose Latinität des Werkes erlaubte aber auch die Benutzung im Original durch einfache Kleriker, deren Sprachkenntnis auf ihr Dienstlatein begrenzt war.

Während der *Malleus* von zwei Dominikanern verfaßt wurde, verrät die *Pharetra* unverkennbar franziskanische Einflüsse, vor allem im empfindlichen Bereich der Mariologie. Die kleine Schrift bietet in Form einer Disputation jene Fragen und Antworten, die dazu angetan waren, Juden nicht zu bekehren, sondern zu überführen, und zwar mit ihren eigenen Waffen auf der Basis des Alten Testaments: »Wir können die nichtsnutzigen und von Gott verworfenen, deshalb verwerflichen Juden so am besten überwinden ...«[53] Die sachlich-vornehmen Formulierungen des jüdischen Gesprächspartners stehen im hellen Kontrast zu den aufgeregten, aggressiven

110

und beleidigenden Erwiderungen des christlichen Gegenübers. Die Auseinandersetzung schließt mit einem Gebet des Juden, das nicht nur modernen Ohren recht zweideutig, ja sogar ironisch klingt: »Möge Gott uns alle (nos omnes) bekehren und auf den Weg der Gerechtigkeit führen ...«[54] Der Streiter für das Christentum gibt sich dagegen dermaßen herablassend, beleidigend und sogar verleumderisch, daß der Leser eher an einer Entlarvung als an einer Wahrheitsfindung beteiligt wird – zu einem Schauprozeß, nicht zu einem Dialog zugezogen.

Besonders deutlich wird dieser Kontrast im Vergleich zum Vertreter des Judentums, der wissenschaftlich abgesichert, höflich in der Form und sachlich in der Substanz die Probleme der Dreieinigkeit, der Fleischwerdung Christi und des Herrenmahls aufführt, deren Schriftbegründung schon in der ganzen Theologiegeschichte zur Diskussion stand. Gerade dieser Jude wird als »sturer, gemeingefährlicher, dummer Esel« bezeichnet und als Geist, der stets verneint, als Ungeist, Widergeist, insgesamt als Handlanger des Teufels behandelt.

Die *Pharetra* ist somit keineswegs eine pastorale Anleitung zur Judenbekehrung, sondern ein Handbuch zur Judenüberführung, in Wirklichkeit nicht interessiert an den Juden, sondern an der durch den Teufel gefährdeten Christenheit; es geht nicht um Sieg, sondern um Exorzismus. Der Jude unterwandert nämlich das Gottesreich, weil er Gottes Präsenz in Christus, in der Kirche und im Sakrament verneint und damit der Gottesherrschaft widersteht. Wie üblich in der Gattung ›Wider die gemeinen Juden‹ – ›contra perfidos Judaeos‹,[55] in jenem Schrifttum, das auf die mittelalterliche ›Judenpredigt‹ zurückgeht, werden auch in der *Pharetra* Marienlästerung, Sakramentsschändung und Ritualmord als ›Judenart‹ vorausgesetzt und als tatsächlich geschehen mit ›historischen‹ Ereignissen dokumentiert.

Wegen der bereits erwähnten Verschiedenheiten ist es verständlich, daß *Malleus* und *Pharetra* bislang in keinerlei Zusammenhang gestellt worden sind. Hat man jedoch die Parallele zwischen beiden, ›Hexenhammer‹ und ›Judenhammer‹,[56] als Überführungsmanuale wahrgenommen, dann wird deutlich, daß auch in dieser Hinsicht die Judenpolemik und Judenvertreibung nicht ein letztes Aufbäumen der bereits müden mittelalterlichen Frömmigkeit ist. Nicht das Ende, sondern der Anfang-mit-Schrecken kündigt sich an.

Anmerkungen zu Teil II

1) Für die Vorgeschichte des Antisemitismus ist nicht nur an die frühchristliche oder mittelalterliche Epoche zu denken. Ohne Verzerrung zitiert Augustin – *De civitate Dei* VI. 1; *Corpus Christianorum, series latina,* Bd. 47, 183, 10 – Senecas unzweideutige Bezeichnung der Juden als hochverbrecherisches Volk – »sceleratissima gens« in *De Superstitione* (ca. 65 n. Chr.). Für die Einbindung Senecas in die klassische Literatur siehe *Greek and Latin Authors on Jews and Judaism,* hg. von M. Stern, Bd. 1, Jerusalem 1974, 429f.

2) In seiner für beide Historiker enthüllenden und zugleich gehaltvollen Analyse der angeblichen ›histoire avantgarde‹ erwidert der amerikanische Sozialhistoriker Lawrence Stone auf die Prophetie Le Roy Laduries aus dem Jahre 1968, ›im Jahre 1980 muß jeder Historiker, um zu überleben, Programmierer geworden sein‹, mit der Beobachtung: »This was a failed prophecy if ever there was one ... Most historians count today, but only when it seems appropriate, and whenever possible we try to keep away from the computer as a dangerously time-consuming tool with strictly limited potentialities for the manipulation of such imprecise data as historical evidence.« L. Stone, »In the Alleys of Mentalité«, *The New York Review of Books* 26 (1979), 20–24; 21.

3) Siehe den ergiebigen Band *Flugschriften als Massenmedium der Reformationszeit. Beiträge zum Tübinger Symposion 1980,* hg. v. H.-J. Köhler, Stuttgart 1981. Für die Erstfassung dieses Teils mit ausführlicher Dokumentation siehe meinen Beitrag in diesem Sammelband; S. 269–289.

4) Siehe meine Einleitung zu *Werden und Wertung der Reformation. Vom Wegestreit zum Glaubenskampf,* Spätscholastik und Reformation 2, 2. Aufl. Tübingen 1979, X.

5) Eine Zusammenstellung der Pfefferkorn-Schriften findet sich bei Eduard Böcking, *Hutteni Opera,* Suppl. Bd. 2, Leipzig 1869, 53–115.

6) Siehe S. 31f.

7) Siehe Johannes Pfefferkorn, *Judenspiegel,* Köln 1507, fol. C 4^v–D 1^r.

8) *Augenspiegel*, Tübingen 1511, fol. A 5^r; Nachdruck in: Quellen zur Geschichte des Humanismus und der Reformation in Faksimile-Ausgaben Bd. 5, München s.a. [1961].

9) Eine fortlaufende Vervollständigung erfährt die Bibliographie im *Lutherjahrbuch* unter der Rubrik 5h.

10) *WA* 11. 315, 3.

11) Vgl. Scott H. Hendrix, *Ecclesia in via. Ecclesiological Developments in the Medieval Psalms Exegesis and the Dictata super psalterium (1513-1515) of Martin Luther,* Leiden 1974, 249-256.

12) »... kumt auch da ain newe frucht herfur ains luterischen, der schön machen will der juden kindermord.« Johannes Eck *Ains Judenbüechlins Verlegung,* Ingolstadt 1542 (Erstausgabe 1541), fol. N 4^r.

13) Johann Eberlin von Günzburg, *Sämtliche Schriften,* 3 Bände, hg. von L. Enders, Flugschriften aus der Reformationszeit 11, 15, 18, Halle 1896–1902, Bd. 3, 111–124; vgl. XXIV–XXVI; 346–348. Siehe auch Karl Steiff, *Der erste Buchdruck in Tübingen (1498-1534). Ein Beitrag zur Geschichte der Universität,* Tübingen 1881, Nachdruck Nieuwkoop 1953, Nachträge S. 18, Nr. 4 (Eberlin, 111):

    »Der Clocker thurn bin ich genant
    Vñ meld hie d'võ güntzburg schand
    Wie wol ich nur ein Steinhauff bin
    Zwingt mich doch des euãgelistẽ sin
    Dañ sie mich habend mißgebraucht
    Mit mir gestrafft den armen hauff
    Dem christus selb sein wort verheißt
    Als Lucas klar am sibenden weißt
    Wo fischer schnitzer bierwirt regiert
    Die pollici wirdt leicht zerstört«

14) Johann Eberlin von Günzburg, Bd. 3, 124; vgl. 348.

15) *Ibid.,* 120.

16) *Ibid.,* 117.

17) *Ibid.,* 113 f.; vgl. Anm. auf S. 347. Im Abschied des zweiten Nürnberger Reichstages war beschlossen worden, daß »mitler zeit nichts anders dan das heilig evangelium nach auslegung der schriften von der christlichen kirchen approbirt und angenommen gepredigt ... werden sollen«. *Deutsche Reichstagsakten unter Kaiser Karl V., Bd. 3,* bearb. von A. Wrede, Gotha 1901, 746f. Vgl. *Werden und Wertung* (wie Anm. 4), 249, Anm. 28.

18) Eberlin von Günzburg, Bd. 3, 114; vgl. 347. Vgl. die fortschrittliche Judengesetzgebung in der Wolfaria-Flug-

schrift (Der 11. Bundsgenoss); Johann Eberlin von
Günzburg, Bd. 1, 130f.

19) *Opus Epistolarum Des. Erasmi Roterodami*, hg. von P. S.
Allen, Bd. 4, Oxford 1922, 46, 142f.; an Hochstraten,
11. August 1519.

20) »Si odium Iudaeorum et haereticorum et Turcorum facit
christianos, vere nos etiam furiosi sumus omnium chri-
stianissimi. Si autem amor Christi facit Christianos, sine
dubio nos peiores Iudaeis, haereticis et Turcis sumus,
cum nemo Christum amet minus quam nos.« *WA* 5. 429,
9-13 (Psalm 14, 7; 1519). Im Vergleich mit Erasmus ist
hier auf die charakteristische Erweiterung um Ketzer
und Türken zu achten.

21) So Guido Kisch, *Erasmus' Stellung zu Juden und Judentum,* Tübingen 1969, 29. In einem beachtenswerten Aufsatz hat Cornelis Augustijn versucht, die Argumente
von Kisch zu entkräften: »Erasmus und die Juden«,
Nederlands Archief voor Kerkgeschiedenis 60 (1980),
22-38. Simon Markish hat über Augustijn hinaus keine
neuen Gesichtspunkte geboten: *Erasme et les Juifs,*
Lausanne 1979. Es ist gewiß nicht zu verneinen, daß
Erasmus › Anti-Judaist‹ ist im Sinne des Kampfes › spiri-
tus contra literam‹ – aber er kann sich auch darüber
freuen, daß Frankreich »judenfrei« ist. Siehe S. 48.

22) *Urkunden und Aktenstücke zur Geschichte der Juden in
Regensburg 1453-1738,* hg. von R. Straus, München
1960.

23) Wilhelm Grau, *Antisemitismus im späten Mittelalter,*
München 1934, 2. Aufl. 1939.

24) Karl Alexander von Müller, »Zum Geleit«, *ibid.,* V.

25) *Ibid.,* VII. Wahr bleibt nur der so anders gemeinte Satz:
»Der deutschen Geschichtsschreibung fehlt vielfach
noch der Mut, die Judenfrage in ihrer Gesamtproblema-
tik historisch aufzurollen.« S. 193, Anm. 8; mit Kommentar zur bisherigen Literatur. Vgl. die gehässigen
Bemerkungen S. 194f., Anm. 24; 39.

26) »Die Predigten gegen Wucher und Hehlerprivileg
waren bei der Ausbildung der Judenfeindschaft von
dauernder und entscheidender Bedeutung.« Peter
Herde, »Gestaltung und Krisis des christlich-jüdischen
Verhältnisses in Regensburg am Ende des Mittelalters«,
in: *Zeitschrift für Bayerische Landesgeschichte* 22 (1959),
359-395; 384.

27) Grau, *Antisemitismus im späten Mittelalter,* 160.

28) Vgl. Torsten Bergsten, *Balthasar Hubmaier. Seine Stellung zu Reformation und Täufertum 1521-1528,* Kassel

115

1961, 76–86; Christof Windhorst, *Täuferisches Taufver-ständnis. Balthasar Hubmaiers Lehre zwischen traditio-neller und reformatorischer Theologie,* Leiden 1976, 7, 25.

29) *De Ratisbona metropoli boioariae et subita ibidem iudae-orum proscriptione,* Regensburg 1519, fol. C II^v.

30) Vgl. die Kurzfassung in R. Straus, *Urkunden,* 385, Nr. 1040.

31) »... ut bonus pastor murum se pro ovibus posuit, tac-tus dolore cordis intrinsecus, audenter contra hos nauci homines (ad nil aliud utiles quam ut in clibanum mit-tantur) praedicando, declamando fraudemque eorum sine intermissione detegendo ...« *De Ratisbona,* fol. C III^r.

32) *Ibid.,* fol. C IV^v; C II^v.

33) Sie ist vor allem eine Laudatio [!] auf Regensburg: »inter totius nostrae Germaniae urbes laudatissima«. *Ibid.,* fol. A III^r. Die Chronik ist einem Augustinermönch gewid-met.

34) Siehe Christoph Peter Burger, »Endzeiterwartung im späten Mittelalter«, in: *Der Antichrist und Die Fünfzehn Zeichen vor dem Jüngsten Gericht,* Hamburg 1979, 18–78; 35–38.

35) *Contra perfidos Iudaeos de conditionibus veri Messiae,* Hain, Bd. II. 1, 506, Nr. 11885.

36) *Fortalitium fidei contra fidei Christianae hostes Alphonsi a Spina 1459.* Eduard Böcking, der weitere Angaben bietet, relativiert im Jahr 1869 die zu Recht harte Cha-rakterisierung durch H. Graetz mit den einleitenden Worten: »Der Jude (!) H. Graetz äußert sich nicht eben lobend über Spina und dessen Fortalicium.« E. Böcking, *Ulrichi Hutteni Opera,* Suppl. Bd. II, Leipzig 1869, 372.

37) *Epistola ad Rabbi Isaac de Adventu Messiae, quem Iudaei temere expectant, Panzer,* Bd. II, Nr. 2454. Angeblich um 1072 von Rabbi Samuel Marrochiamus arabisch ge-schrieben als Bankrotterklärung des jüdischen Glau-bens und zum ersten Male im Jahre 1339 ins Lateinische übersetzt und veröffentlicht, gewinnt die *Epistola* bald große Popularität, ließ sie sich doch gut einsetzen in der Judenmission.

38) Augsburg, Januar 1524; Zürich, März 1524.

39) Vgl. J. F. Gerhard Goeters, *Ludwig Hätzer (ca. 1500 bis 1529). Spiritualist und Antitrinitarier. Eine Randfigur der frühen Täuferbewegung,* Gütersloh 1957, 36 ff.: Die zwei-te Ausgabe deutet den Bruch bereits an.

40) P. Herde, »Gestaltung und Krisis« (wie Anm. 26), Bei-lage II, 394 f. Vgl. Thomas Müntzer, *Schriften und Briefe,* hg. von G. Franz, Gütersloh 1968, 548, 15.

41) Walter Peter Fuchs in Bruno Gebhardt, *Handbuch der deutschen Geschichte,* Bd. 2, 9. Aufl. Stuttgart 1970, 57.

42) Zu denken ist hier an zwei Flugschriften, die offensichtlich bemüht sind, Luthers Lehre in der Schrift *Daß Jesus Christus ein geborner Jude sei* (1523) zu verbreiten. Sehr einfach ist Michael Kramer, *Eyn underredung von glawben,* Erfurt [2. Dezember] 1523, in: *Flugschriften aus den ersten Jahren der Reformation,* hg. von O. Clemen, Bd. 1, Halle 1906/07, Nachdruck 1967, 425–440. Gekonnter – und eigenständiger – ist: *Ein gesprech auf das kurtzt zwuschen eynem Christen und Juden,* Erfurt 1524, *ibid.,* 389–420.

43) Siehe die ›Pharetra catholice fidei siue ydonea disputatio inter Christianos et Judeos: in qua perpulchra tanguntur media et rationes, quibus quivis christifidelis tam ex prophetis suis propriis quam ex nostris eorum erroribus faciliter poterit obviare‹, [1495] Landshut 1514, fol. A III^{r-v}. Vgl. Anm. 52.

44) Vgl. ›Enderung [= Entehrung] und schmach der bildung Marie von den juden bewissen [= getan]. und zu ewiger gedechtniß durch Maximilian den römischen keyser zu malen verschaffet in der löblichen stat kolmer. von dannen sy ouch ewig vertrieben syndt,‹ s.l. s.a. [Straßburg: Matthias Hupfuff (?) um 1515], Universitätsbibliothek Tübingen, Signatur: Gh 415.8° Adam Klassert und Meier Spanier datieren diese Flugschrift auf das Jahr 1515 und weisen sie mit guten Gründen Thomas Murner zu. Vgl. A. Klassert, »Entehrung Mariä durch die Juden. Eine antisemitische Dichtung Thomas Murners«, *Jahrbuch für Geschichte, Sprache und Literatur Elsass-Lothringens* 21 (1905), 78–155; ders., »Zu Thomas Murners Entehrung Mariä durch die Juden«, *Jahrbuch für Geschichte, Sprache und Literatur Elsass-Lothringens* 22 (1906), 255–275; M. Spanier, »Thomas Murners Beziehungen zum Judentum«, *Elsaß-Lothringisches Jahrbuch* 11 (1932), 89–108. Der Franziskaner Thomas Murner († 1537) wurde von Johannes Pfefferkorn als Parteigänger Reuchlins eingeschätzt (vgl. *Beschirmung Johannes Pfefferkorn,* s.l. s.a. [1516], fol. L III^v). Pfefferkorns Schirmherren, die Kölner Dominikaner, mußten Murner schon deshalb als Gegner betrachten, weil er in seiner Satire *Von den fier ketzeren,* s.l. s.a. [Straßburg? 1509], den Berner Jetzerskandal ausführlich behandelt hatte. Tatsächlich wird Murner einem der Autoren der Dunkelmännerbriefe nahegestanden haben, vermutlich Hutten. In seiner Haltung den Juden gegenüber unter-

117

scheidet er sich nicht von der besonders unter den volks-
nahen Bettelmönchen verbreiteten antijüdischen Agitation, wie deutlich hervorgeht aus seiner Verherrlichung der Judenvertreibung aus Colmar in diesem
Traktat ›Enderung und schmach‹. Die Intention der
gesamten Flugschrift ist es, den Haß gegen die Juden,
ja mehr noch ihre Vertreibung und Vernichtung, durch
den Nachweis der von ihnen verübten gotteslästerlichen Schandtaten als berechtigte Christenpflicht darzustellen.

45) Vgl. Hans von Greyerz, »Der Jetzerprozess und die
Humanisten«, *Archiv des Historischen Vereins des Kan-
tons Bern* 31 (1932), 243–299.

46) Bei Johannes Teuschlein funktioniert weniger Lukas,
Kapitel 1, 52 (siehe die folgende Anm.), als der seit
Bernhard von Clairvaux weit verbreitete Gedanke, daß
Maria als ›colla‹, als Verbindung zwischen Haupt und
Gliedern, der Kanal des Gnadenstroms ist: »Dem nach
vergleicht den tauben mischt oder geschmaiß / wo man
den wurfft auff einen fruchtbarn acker mogeret er den-
selben und macht unfruchtbar. Also ist es auch wo die
juden versamlet seind bey den Christen. ... Sihe an die
selben zerstroten lesterer samblen die fursten und stet
zusamen, furdern und versprechen sie / verhangen in
auch zunemen den wucher und wucherisch handel zu-
treyben / Welche durch alle Recht zuthun / zunehmen
und zugeben verbotten sein.« Das Nachlassen des Gna-
denflusses von Christus durch Maria »kumpt von unsern grossen sunden«, die in der Sammlung und Duldung der Juden und des Wuchers bestehen. Nach geist-
lichem Recht sind die Wucherer, die duldsame Obrigkeit »oder die von ampts wegen nit daran sein / das
gegebner wucher wider stelt werde der armen leuten die
den geben haben es sein geistlich oder weltlich« im
Bann. Dem Vorschlag, man solle die Juden in der Hoffnung auf Bekehrung dulden, wird entschieden widersprochen: »Als es aber jetzo in der welt steet / dz
gemeinlich alle stend beladen seind mit dem teufflischen geytz / so wil uns nutzer sein / dz wir sie von uns
weysen / dan gedulden«. ›Auflosung ettlicher Fragen
zu lob und ere christi Jesu auch seiner lieben mutter
Marie wider die verstockten plinten Juden und alle die
jhenen so sie in iren landen und stetten wider recht
enthalten furen und gedulden neulich geschehen.‹ Verfaßt von Johannes Teuschlein; gedruckt zu Nürnberg
durch Fryderich Peypus, 26. Januar 1520.

Teuschlein kam im Dezember 1512 als Prediger nach Rothenburg o.d.T.; verfaßte einen Index zu Augustin und Hieronymus. Sein *Sermon wider die unziemliche, unordentliche Tragung des Zipfelbarett während des Hl. Göttlichen Amts* aus 1521 zeigt, daß er zu dieser Zeit von reformatorischen Gedanken unbeeindruckt war. Siehe Otto Clemen, »Ein Sermon von D. Joh. Teuschlein«, *Beiträge zur bayerischen Kirchengeschichte* 9 (1903), 231-233. Der reformatorische Umschwung in Rothenburg erfolgte 1522.

47) *WA* 7. 589, 20-590, 18.

48) Siehe die zwei am selben Tage (12. Mai 1525) aus Frankenhausen geschriebenen Briefe an den Grafen von Mansfeld: Thomas Müntzer. *Schriften und Briefe* (wie Anm. 40), 468, 25-27; 469, 13-16. Ich nehme an, daß es eben dieser Brief an Graf Albrecht ist, welcher nach Müntzers Flucht in die Stadt bei ihm gefunden wird und zu seiner Verhaftung am 26. Mai geführt hat. Vgl. Walter Elliger, *Thomas Müntzer. Leben und Werk,* Göttingen 1975, 787.

49) Die programmatisch reformatorischen Flugschriften müssen sich nun subtil bemühen, die Verbindung »antijüdisch« und »promarianisch« zu lockern. Im Jahre 1523 sucht Luther einen Mittelweg, wenn er sich gegen den Vorwurf schützt, Marias Ehre nicht hinreichend gewahrt zu haben und zugleich um mildernde Behandlung der Juden wirbt. *WA* 11. 314, 23-28. Kurze Zeit später löst Eberlin von Günzburg dieses Problem, indem er die Polemik gegen jüdische Machenschaften aufrechterhält, zugleich aber vor marianischem Mißbrauch und Aberglauben warnt, auch wenn diese, wie im Falle der Pilgerfahrten zur Madonna in Regensburg, wissenschaftlich sanktioniert sind. Hier gilt eben das Wort: ›die Gelehrten, die Verkehrten‹.
Im Rahmen der Erörterung der üblen Machenschaften des Klerus zur religiösen Verführung des Volkes im eigenen materiellen Interesse antwortet einer der evangelisch gesinnten Handwerker auf die Frage, was er von der Wallfahrt nach Regensburg zur dortigen Madonna halte: »Da kan ich nit vil von sagen, aber ich wyl dyr offenbaren eyn gleychnus. Es ist auff ein tzeytt yn der Schlesigen geschehen, do ist eyn arm mensch verurteylt worden tzuo vierteylen. Ist eyn jud zuo dem hencker komen, hat yn gepeten, er sol ym des armen menschen hertz geben, hatt jhm etlich gelt verheyssen. Der henger hat yhms tzuogesagt, hat doch gedacht, was er do mit

moecht machenn, das nyemandt schaden dar auß ent-
stund, hat ym eyn schwein hertz geben fur das menschen hertz. Als der jud das hertz entpfangenn hat yn
der meinung, als seys des menschen, hat er das hertz an
einen weg eyn graben. Wye er weitters mit umb gangen
ist, kan ich nit von sagen, aber das soll geschehen seyn,
das alle schweyn yn der gegent tzuo geloffen seyn und
eyn mercklich summa tzuo samen komen ist, do bey
man wytters gedencken mag: dye gelertten, dye ver-
kerten. Wer weyss, was jeder man kan? Dar von las dich
dye sach auch nit anfechten!« [Anonyme] Flugschrift:
Gespräch von der Wallfahrt im Grimmental, in: *Flugschriften aus den ersten Jahren der Reformation* (wie
Anm. 42), Bd. 1, 131–167; 147. Die Geschichte vom ver-
grabenen Schweineherzen wird später auch von Eck in
seiner antijüdischen Polemik eingesetzt. *Ains Judenbüechlins Verlegung* (wie Anm. 12), fol. F 2^v–3^r.

50) Vgl. Karl Trüdinger, *Stadt und Kirche im spätmittelalterlichen Würzburg*, Stuttgart 1978, 127 f., Anm. 35, 37.

51) *Malleus Maleficarum in tres divisus partes … auctore
P. P. F. Iacobo Sprenger Ordinis Praedicatorum.* Benutzt
wird die Ausgabe Venedig (Antonius Bertanus) 1576, in
der Heinrich Institoris OP als Mitautor nicht mehr aufgeführt wird.

52) »Scherpfft die pfeyl, erfult die köcher, nider zu slaen die
füchß die unsere weingartten zu strewen, und nembt
daz swert des geists, das do ist das wort Gots, uff das
das mit den czeugnußen des gesetz und der propheten
der hochfertig Golias, das ist das judisch volk, gleich als
mit seinem eygen swert werd überwunden!« *Pharetra
contra iudeos. Der Köcher wider die juden,* in: *Die Meister-
lieder des Hans Folz aus der Münchener Originalhand-
schrift und der Weimarer Handschrift Q. 566 mit Ergänzun-
gen aus anderen Quellen.* hg. von August L. Mayer,
Berlin 1908, 372. Vgl. Anm. 43.

53) »Nam non possumus ipsos viles et reprobos Judeos
melius divincere nisi propriis armis eorum.« *Pharetra
catholice fidei,* fol. A II^r.

54) *Ibid.,* fol. B IV^r.

55) Vgl. die Trienter Kindermordgeschichte in Petrus Bru-
tus, *Victoria contra Judaeos,* Venedig 1489, fol. M 2^v–3^r.
Die angehängte »poetische« Zusammenfassung in
Hexameter durch Marcus Celsanus wirkt noch abscheu-
erregender. Nur relativ zurückhaltend ist Antonio Lollio, *Oratio passionis dominice habita coram Innocentio
Octavo … contra cervicosam iudeorum perfideam,* Rom

1486 [?]. Siehe seine Auslegung von Psalm 2, 4 auf die Verstockung der Juden: »... ne de vobis rideat ille, de quo scriptum est: ›Qui habitat in celis irridebit eos.‹« *Ibid.,* fol. 26. Vgl. »O, stulti et tardi corde ad credendum«, fol. 30. John W. O'Malley führt diese Predigt Lollios (den Titel um den Judenbezug gekürzt) an, um Antipelagianismus und Reformverlangen am päpstlichen Hof zu dokumentieren. Auffälliger scheint mir diese Quelle als Beleg für die ›ars vituperandi‹. Siehe seine im übrigen vorzügliche Arbeit: *Praise and Blame in Renaissance Rome. Rhetoric, Doctrine, and Reform in the Sacred Orators of the Papal Court, c. 1450–1521,* Durham, North Carolina 1979, 55; 156f.; 250. Genau ein solcher Fall von ›Blame‹ findet sich in der fünf Jahre zuvor (1481) am päpstlichen Hof vor Sixtus IV. gehaltenen Predigt »De Passione Domini« des Flavius Mithridates. Für die Benutzung des Mithridates durch Lollio siehe die kritische Edition: Flavius Mithridates, *Sermo de Passione Domini,* hg. von C. Wirszubski, Jerusalem 1963, Appendix VII, 75f. Siehe auch Teil I, Anm. 26.

56) Explizit begründet der *Malleus* die Verbindung von Juden und Hexen damit, daß sich beide der Apostasie schuldig machen: *Malleus* (wie Anm. 51), Iq 14, S. 131. Hexen sind wie Juden vom weltlichen Arm mit Güterentzug und Todesstrafe zu belegen, insofern sie den christlichen Glauben bekämpfen; *ibid.,* III Praefatio, S. 350, mit Berufung auf den Canon ›De Iudeis‹ im ›Decretum Gratiani‹ (c. 5 D. XLV, Friedberg, Bd. I, 162). Im Gegensatz zum *Malleus* schließt das ›Decretum‹ Gewalt gegen *ungetaufte* Juden jedoch aus.

Auch die ›Erfahrung‹ belegt die Verbindung von Juden und Hexen. Die Hilfe eines Juden wurde in Anspruch genommen, um eine unwillige, keusche Jungfrau in eine Stute zu verwandeln; *Malleus* Iq 10, S. 108. Eine getaufte Jüdin war es auch, die andere Frauen mit ihren Künsten dazu verführte, die Magd Maria und die Geburt Christi zu lästern; *ibid.,* II cap. 12, S. 250f. Unter den zahllosen impliziten Parallelen ist hinzuweisen auf die Hexensucht nach Blut (Iq 16, S. 141), auf den Diebstahl des eucharistischen Leibes (II cap. 5, S. 208), auf die Kinderopfer (II cap. 13, S. 254). Der Ritualsatz »Die allerheiligste Jungfrau Maria ist ein fettes Weib« ist Vorbedingung für die Initiierung einer Hexe durch den Bundesschluß mit dem Teufel; II cap. 2, S. 176, siehe auch *Werden und Wertung* (wie Anm. 4), 201–233.

Im Jahre 1535 veröffentlichte Philipp von Allendorf:

›Der Juden Badstub. Eyn Anzeygung Irer manigfeltigen schedlichen hendel / zu warnung allen Christen / jren drieglichen listigkeyten zu entweichen / vnd die zuvermeiden.‹ Obwohl hier vor allem benutzt, um den Judenwucher, ihr ›Schröpfen‹ einzudämmen, geht das Anti-Bad-Syndrom (Ketzer, Hexe, Prostituierte) auf ältere Assoziationen zurück. Der *Malleus* warnt ausdrücklich vor Bademüttern: II cap. 1, S. 171 f.; vor allem II cap. 15, S. 268 f.

Teil III

Martin Luther

Heil und Unheil aus den Juden

Wenn die Apostel, die auch Juden waren,
also hetten mit uns heyden gehandelt,
wie wyr heyden mit den Juden, es were nie
keyn Christen unter den heyden worden.

Martin Luther
Daß Jesus Christus ein geborner
Jude sei
(1523; Weimarer Ausgabe,
Band 11. 315, 19–21)

Was wollen wir Christen nu thun mit diesem
verworffen, verdampten Volck der Jüden? …
Wir müssen mit gebet und Gottes furcht eine
scharffe barmhertzigkeit uben, ob wir doch
etliche aus der flammen und glut erretten
kündten. Rechen dürffen wir uns nicht. Sie
haben die Rache am halse, tausent mal erger,
denn wir jnen wündschen mügen.

Martin Luther
Von den Juden und ihren Lügen
(1543; Weimarer Ausgabe,
Band 53. 522, 29–30; 34–37)

13. Christenangst und Judenplage

Das von den Ereignissen im Dritten Reich aufge-
nötigte Problem ›Deutschland und die Juden‹ wird in der
Feuilletonkultur des Abendlandes mit immer weniger
Zögern unter Verweis auf Luthers nachhaltige Wirkung
erläutert oder sogar gelöst.[1] Dieser Herausforderung war
gerade jene Lutherverehrung am wenigsten gewachsen,
die den Reformator vom Kontext seiner Zeit zu isolieren
bereit war, um ihn als einsamen Künder der Neuzeit
herauszustellen. Zugang zu Luthers Beurteilung von
Juden und Judentum wird man jedoch nur finden können, wenn das persongebundene Thema ›Luther und die
Juden‹ historisch erweitert wird zum Thema ›Die Juden
im Zeitalter von Humanismus und Reformation‹. Zugleich ist es an der Zeit, sich dem Tatbestand zu stellen,
daß die Judenfrage keine schwarze Sonderseite in Luthers Werk bildet, sondern zentrales Thema seiner Theologie ist.

Wir befinden uns in der merkwürdigen Lage, offenbar zwischen zwei Luthergestalten wählen zu müssen,
die heute in der Öffentlichkeit kursieren. Die eine ist
der kühne Reformator, der befreiende Theologe, der
sprachgewaltige Deutsche – und diese Gestalt ist ›judenfrei‹. Der andere Luther ist allenfalls ein böser Verwand-
ter: Er hat den Deutschen Haß gepredigt, »deutsch« zu
empfinden vorgeprägt und vornehmlich Judenschriften
abgefaßt – dieser Luther ist unzweifelhaft »Antisemit«.
Um dem historischen Luther zu begegnen, werden wir
diese Spaltung überwinden und die Judenfrage zurück-
führen müssen in den Gesamtzusammenhang von Werk
und Wirken. Es ist somit mehr zu leisten, als die in dem
stetig anwachsenden Literaturstrom bereitgestellten
Lesefrüchte aus Luthers Judenschriften neu aufzube-
reiten.

Im voraus ist zu warnen, daß diese Weise, Luthers Denken über die Juden neu zu begreifen, nicht dazu entwickelt oder auch dazu angetan ist, ihn nachträglich zu »retten«. Das Urteil sollte aber wohl erst am Ende des Verstehensvorganges gesprochen werden.

Am Vorabend der Reformation konnte die Lage der Juden in Westeuropa zu Recht mit dem Wort »Elend« bezeichnet werden, das die althochdeutsche Sprache als Äquivalent für »Exil« geprägt hatte. Edward I. veranlaßte die Vertreibung aller Juden aus dem Königreich England zu Allerheiligen 1290, der französische König Philipp der Schöne (1285–1314) dekretierte zwar nur die Vertreibung aller dieser »englischen« Juden, initiierte aber eine so konsequente Judenpolitik, daß Erasmus von Rotterdam im Jahre 1516 (?) in höchsten Tönen Frankreich dafür loben konnte, daß das Königreich sich mehr als alle anderen Länder von Juden »fein gesäubert« habe. Am 2. Januar 1492 erließen König Ferdinand und Königin Isabella das Ausweisungsmandat für ganz Spanien; fünf Jahre später mußten die nach Portugal Vertriebenen erneut fliehen, falls sie nicht bereit waren, sich der Taufe zu unterziehen. Aber auch diese Neuchristen waren Pogromen ausgesetzt mit dem fürchterlichen Höhepunkt des Massakers von Lissabon im Jahre 1506.[2]

Die Stadtvertreibungen im Deutschen Reich nehmen zwar im 15. Jahrhundert ein erschreckendes Ausmaß an, sie erscheinen aber geradezu human im Vergleich zu den spontanen, von »unten« auflodernden Judenverfolgungen mit Plünderungen und Morden in der vorhergehenden Zeit. So wurde in den Fasten des Jahres 1349 in ganz Thüringen, in Gotha, Eisenach, Frankenhausen, einen Monat später auch in Erfurt, die jüdische Einwohnerschaft getötet oder zur Selbstverbrennung gehetzt. Damals, während der größten Pestepidemie Europas, wurde noch durchweg als Grund »Brunnenvergiftung« angegeben, aber – so fügt der unbekannte Chronist des 15. Jahrhunderts »aufgeklärt« hinzu – der eigentliche Grund sei wohl in der hohen Verschuldung der ganzen Bevölkerung zu suchen.[3]

Am Vorabend der Reformation ist die städtische Vertreibungswelle bereits nahezu abgeschlossen. Nach 1520 werden die Juden nur noch aus einer relativ kleinen Zahl von Städten vertrieben, während in der vorhergehenden Periode von 1388 (Straßburg) bis 1519 (Regensburg, Rothenburg ob der Tauber) nahezu neunzig Vertreibungen durchgeführt worden waren.[4] In den emporstrebenden deutschen Einzelländern schwankt die Judenpolitik noch längere Zeit: Sollte angesichts der Schwächung der Zentralgewalt im Reich der Landesherr das finanziell ergiebige Judenschutzrecht des Kaisers beanspruchen, um selbst die hohen Abgaben zu kassieren? Dazu wäre auch die Führungsschicht in den Städten bereit. Oder sollte die Judenvertreibung, die von den Zünften im Namen der Gottesgebärerin Maria mit dem Ziel der Wucherbekämpfung gefordert wurde, durchgesetzt werden, um Ruhe und Frieden zu sichern?

Württemberg war seit den Tagen seines Landesherrn Eberhard im Bart († 1496) offiziell »judenfrei«, eine Rechtslage, die von Kaiser Karl V. im Jahre 1530 auf dem Augsburger Reichstag ausdrücklich als Privileg bestätigt wurde.[5] Gegen das Drängen der Fürsten auf landesherrliche Selbstbestimmung besteht Karl V. damit auf seinen althergebrachten Rechten und dokumentiert an den Juden seine Kaisergewalt. Der Bischof von Speyer, Georg, Herzog von Bayern († 1529), ordnete am 4. April 1519 die völlige Isolierung der Juden in seiner Diözese an, seien sie doch »keine Menschen, sondern Hunde«.[6] Hessen und Sachsen ließen sich nicht vom Kaiser bestimmen, sondern suchten in den dreißiger Jahren ihren eigenen Weg. Philipp, Landgraf von Hessen, ließ sich zunächst vom Straßburger Reformator Martin Bucer,[7] der sächsische Kurfürst Johann Friedrich von Martin Luther beraten. Beide Reformatoren waren nicht bemüht, den Judenschutz ihren Landesherren ohne Vorbehalt ins Gewissen zu reden. Aufenthaltsgenehmigungen sind

127

nur unter strikten Auflagen zu erteilen: Arbeit, Zucht und gute Ordnung. Im Jahre 1539 ergriff König Sigismund von Polen Maßnahmen, die sich nicht, wie auf der Iberischen Halbinsel am Anfang des Jahrhunderts, gegen die Neuchristen, sondern diesmal gegen die Neujuden richteten.[8] Es wurde eine jüdische Missionsoffensive und Schwächung der Christenheit befürchtet.

Damit ist die Vertreibungslage in Europa und der differenzierte Rechtsstatus der Juden im Reich in seiner Anfälligkeit zwischen Kaiser und Landesherren, zwischen Fürstbischof und Stadt skizziert. In dieses Schwanken haben Luthers Judenschriften hineingewirkt. Deutschland war somit nicht »judenfrei«, die aus den Städten vertriebenen Juden wichen in die Territorien aus und konnten sich dort, trotz Verschiebungen im einzelnen, halten, ohne sich je der Zwangstaufe unterziehen zu müssen. Die immer nur auf Zeit gewährten Aufenthaltsgenehmigungen wie auch die stets unberechenbare, weil dezentralisierte Besteuerungspolitik bedeuteten jedoch einen ständigen Konversionsdruck. Nicht die soziale und politische Diskriminierung, sondern die Identitätsstärke und Überlebenskraft der jüdischen Gemeinschaften müssen ins Auge stechen.

Zu dem Druck von außen durch Verstoßung und Vertreibung fügt sich der Druck nach innen durch Diffamierung des Juden als moralisch verkommenes und gesellschaftlich gemeingefährliches Subjekt. Der Aufruf zu konsequenter Isolierung und die öffentlich propagierten Schreckensbilder werden gewiß Haß bei den Juden gegen Christen und ihren tyrannischen Glauben erzeugt haben, der um so schwelender war, als dieser Verbitterung kein Ausdruck verliehen werden konnte. Ein solcher Haß war den Christen durch die eigene Predigt und durch »ehrliche Beichte« getaufter Juden so wahrscheinlich, daß Greuelgeschichten über jüdische Rachsucht allgemein Gehör finden konnten. Berichte über Sakramentsschändung und Kindermord kursieren nicht nur auf der untersten Ebene der Gossen und Kneipen, sie

finden sich nicht nur in einpeitschenden Passionspredigten grobschlächtiger Mönche.

Wie sehr der Haß der geängstigten Christen den
Gegenhaß glaubwürdig gemacht hat, wird das folgende
Dokument vor Augen führen. Zu bedenken ist: Es handelt sich keineswegs um »Schund- und Schmutzlitera-
tur« aus einer finsteren Provinzpresse, sondern um »se-
riöse«, durch Genauigkeit im Detail überzeugend wir-
kende Berichterstattung im Stil zuständiger Ermittlungs-
behörden, veröffentlicht vom Nürnberger Druckhaus
Hieronymus Höltzel, einem wissenschaftlich ausgewie-
senen und politisch progressiven Verlag im Dienste des
Humanismus und später der Reformation.[9] Zu seinem
Programm gehörten die Werke der berühmten deutschen Dichterkoryphäe Konrad Celtis, Holzschnittfol-
gen von Albrecht Dürer, später Werke von Luther und
Karlstadt, schließlich sogar die harte Absage Thomas
Müntzers an Luthers Reformation aus dem Jahre 1524,
ein Jahr vor dem Bauernkrieg: die *Hochverursachte
Schutzrede und Antwort wider das geistlose, sanftlebende
Fleisch zu Wittenberg*. Hieronymus Höltzel, zugleich
Drucker und Verleger, stand immer an vorderster Front.

Unglaublicher Vorfall*

Juden aus der Mark Brandenburg kaufen und foltern den Leib Christi
im Jahre des Herren 1510
Veröffentlicht wird hier, was bislang im Jahre 1510
nur einer Minderzahl bekannt war. Folgendes hat
sich um 11 Uhr nachts am Mittwoch nach Mariä
Lichtmeß[10] ereignet: Paul Fromm, ein ›böser
Christ‹[11] und Pommer von Geburt, ansässig in Bernau[12], Kesselflicker, als Mörder bekannt, hat sich

---

* Der exemplarischen Bedeutung des Dokuments wegen ist der
folgenden Übersetzung – und damit Deutung – der Original-
text als Beilage mitgegeben.

vom Teufel verleiten lassen, in der Kirche von Knoblauch[13], Brandenburg, das Tabernakel[14] auf dem Altar aufzubrechen, daraus einen vergoldeten Behälter mit zwei ungleich großen, bereits konsekrierten Hostien und eine vergoldete Monstranz[15] aus Kupfer zu stehlen.

Als er des folgenden Tags gegen 8 Uhr morgens in der Nähe von Staaken[16] sich auf einen Stein setzte, um seinen Fang zu besichtigen, hat er die größere Hostie in unwürdiger Weise mißbraucht. Schlagartig wurde es um ihn pechschwarz, so daß er länger als eine halbe Stunde weder aufstehen noch sich bewegen konnte. Danach ist er nach Spandau gezogen (zwei Meilen von Berlin entfernt in Richtung Brandenburg, wo Havel und Spree zusammenfließen) und hat dort einem Juden namens Salomon die Monstranz zum Kauf angeboten. Salomon antwortete: ›Wo die gewesen, ist mehr gewesen.‹ Darauf hat der böse Christ die andere Hostie aus der Brusttasche gezogen und 16 Groschen verlangt. Salomon hat fünf geboten, auf neun märkische Groschen, umgerechnet sechs Silbergroschen, hat man sich geeinigt.

Anschließend ist der Gottesverkäufer ins Wendische[17] gezogen, wollte dort aber nicht bleiben und ist nach Hause zurückgekehrt, ungeachtet der Warnung, daß sein gewissenloser Diebstahl bereits ruchbar geworden war. Dort hat er die Monstranz aus seinem Haus heraus über die Stadtmauer geworfen, die aber dank Gottes Vorsehung an einem Baum hängengeblieben ist. Gefunden hat sie dort der Bürgermeister von Bernau, der den bereits verdächtigen Mann gefangennehmen ließ. Ohne Folter hat er sofort gestanden.

Salomon hatte inzwischen die Hostie auf die Kante eines Tisches gelegt, aus angeborenem jüdischen Haß mehrmals auf sie eingeschlagen und in sie gestochen und dennoch den Herrnleib nicht verwunden können. Endlich geriet er so außer sich vor Wut, daß er neben anderen Flüchen laut schrie: ›Bist du der Christengott, dann in tausend Teufels Namen zeige dich!‹ In dem Moment hat sich von diesem Stich der heilige Leib Christi wunderbarerweise in drei Teile geteilt, und zwar genauso, wie ihn der Priester bricht – mit der Folge, daß die Bruchstellen blutfarben wurden. Vier Wochen lang hat der Jude die drei Teile der Hostie mit sich herumgetragen.

Bereits ein halbes Jahr zuvor hatte Salomon mit dem brandenburgischen Juden Jakob und Markus, Jude zu Stendal[18], abgemacht, daß derjenige, der eine Hostie ergattern könne, den zwei anderen je einen Teil zukommen lassen sollte. Somit hat nun Salomon je einen Teil der Hostie, gut verpackt in einer mit sämischem Leder überzogenen Dose, unter eigenem Absender und Siegel durch seinen Sohn dem Jakob in Brandenburg und dem Markus in Stendal überbringen lassen.

In das dritte, eigene Stück Hostie hat er nochmals hereingeschlagen und gestochen, so lange, bis Blut herausfloß. An diesem Teil hat er sich zu vergehen gesucht, ihn ertränken, verbrennen und auf manche andere Weise umbringen wollen – alles war ihm unmöglich; schließlich kam es ihm, die Hostie in einen Mazzenteig[19] zu verkneten und zum jüdischen Osterfest in den Backofen zu werfen. Und obgleich es in diesem Ofen stockfinster war, so hat er doch urplötzlich – laut eigenem Geständnis – einen hellen Lichtschein gesehen und oberhalb des Brotes schwebend ein schönes kleines Kind von Daumeslänge zweimal wahrgenommen. Wiewohl er durch dieses Wundergeschehen tief erschrocken, das Christengefängnis bereits vor Augen, flüchten wollte, erwies es sich ihm als gänzlich unmöglich, sich von der Stelle zu rühren und Spandau zu entfliehen.

Den zweiten Hostienteil hat Markus, der Jude zu Stendal, mit all den Seinen ebenfalls zu foltern sich unterstanden und nach Braunschweig, gemäß anderen Aussagen nach Frankfurt am Main, geschickt.

Gleichfalls hat Jakob zu Brandenburg den dritten Hostienteil auf den Tisch gelegt, darauf geschlagen und gestochen, so daß man die gnadenreichen Blutstropfen auf dem Tisch sah. Da er das Blut weder abwaschen noch wegkratzen konnte, hat er den blutbespritzten Holzspan aus dem Tisch herausgeschlagen und ihn samt Hostie nach Osterburg[20] gebracht. Dort hat ein vermögender Jude namens Mayr die Hostie seinem Sohn Isaak gegeben, der das heilige Sakrament in einer Schale seiner Braut mit folgenden Worten ans Hochzeitsbett getragen hat: Sie solle sich recht freuen und hochgeehrt achten, er bringe ihr den Gott der Christen.

Noch während des Hochzeitsmahls haben die Feinde Christi ihre Hostie nochmals gemartert und Isaak kam als Bräutigam die Ehre zu, ihr den ersten Stich zu versetzen. Auch diese Hostie soll nach Braunschweig gelangt sein, wo denn jetzt alle dortigen Juden gefangensitzen. Die Hostie aber und der blutbefleckte Tisch samt Holzspan sind nach Berlin überführt. Dort ist das Wunder geschehen, daß die Hostie, wieder Brot geworden, zerbröckelte und langsam verging.

Die verstockten, blinden Hunde haben im Gefängnis gleichfalls gestanden, daß sie innerhalb weniger Jahre sieben Christenkinder gekauft haben, eins für 24 Groschen von seiner eigenen Mutter, einer Bäuerin, ein anderes für drei Gulden und ein weiteres für zehn. Diese Kinder haben sie mit Nadeln und Messern gestochen, gemartert und schließlich getötet. Dann haben sie das Blut mit Granatäpfeln angerichtet und zum Essen gebraucht.

Deshalb hat seine Durchlaucht, der hochgeborene Kurfürst, Markgraf Joachim von Brandenburg,[21] am Freitag nach dem 15. Juli[22] zu Berlin die Verbrecher zum Tode verurteilt und ihre Habe für konfisziert erklärt. Der Christ, Paul Fromm, sollte mit Zangen zerrissen und auf einem gesonderten Scheiterhaufen verbrannt werden. Anschließend sollten 38 Juden, am Hals angeschmiedet, zu Asche verbrannt werden.

Und – man glaubt es nicht, wenn man es nicht selbst gesehen hat – diese verstockten Juden haben lachenden Mundes das Urteil angehört und sich lobsingend abführen lassen. Einmal auf dem Scheiterhaufen, haben sie nicht nur gesungen und gelacht, sondern zum Teil auch getanzt und gejubelt, die gefesselten Hände hochgereckt, das Stroh zerrieben und in den Mund gesteckt. Ohne Rücksicht auf die offenbaren Wunderzeichen haben sie mit großer Standhaftigkeit den Tod erlitten, wahrlich zum Schrecken wankelmütiger Christen.

Von den genannten Juden hat sich besagter Jakob mit zwei anderen taufen lassen. Jakob, als Getaufter nun Jörg genannt, und der eine von den beiden sind, am folgenden Tag enthauptet, dann als Christen gestorben. Dem dritten, einem Augenarzt, hat man auf seine Bitte hin gestattet, in das Graue Kloster nach Berlin[23] zu gehen, weil er sich allein an Kindern schuldig gemacht hatte.

Fast 60 Juden leben noch in Berlin, ohne von diesen Vorgängen Kenntnis zu haben. Es heißt, man werde sie, wie recht und billig, abermals des Landes verweisen.

Gedruckt zu Nürnberg
von Hieronymus Höltzel

Dieses Dokument kommentiert sich selbst in den kriminellen Details und in der Anschaulichkeit seiner wechselnden Szenen.

Wir verfügen nicht über eine jüdische Gegendarstellung der Ereignisse, sie hätte auch keinen Glauben gefunden. Schon der eindrucksvolle, freudige Bekennermut der dem Tode geweihten Juden konnte nur die zweideutige Reaktion des Schreckens auslösen. An der Aufgabe, zwischen Wahrheit und Dichtung zu unterscheiden und den Kern der Ereignisse herauszuschälen, scheitert die historische Analyse; bereits die Geständnisse über den genauen Kaufpreis für Hostie und Kinder werden nicht dem schlechten Gewissen entlockt sein. Paul Fromm, so heißt es vielsagend, hat »ohne Folter« sofort gestanden.

Die Christenheit fühlt sich geplagt und bedroht: Herrenfolter und Herrenmord, Kinderfolter und Kindermord, öffentliche und – am Brautbett – private Blasphemie schreien nach radikalen Abwehrmaßnahmen. Als Jude im Exil zu leben, ist ein lebensgefährliches Geschick, auch dort, wo, wie in Berlin und Spandau, das »teure« Privileg des Aufenthalts gewährt ist – auf Zeit. Nur daran können Juden ermessen, daß sie statt des Mittelalters eine neue Zeit erleben, daß die frühere im Sinne des Wortes sagen-hafte Polemik jetzt behördlich korrekt zu Protokoll genommen ist, kontrolliert durch Daten, Zeugen und Beweismaterial. Es geht alles rechtens zu, es hat alles seine Ordnung in Verhör, Beweis und Berichterstattung.

»Ruhe und Ordnung« – während der Epoche von Humanismus und Reformation in aller Munde – brachten tatsächlich einen bedeutenden Fortschritt gegenüber dem Fehderecht der Vorzeit. In Gesetzgebung und Politik, in Rechtsprechung und Verwaltung ist ›Neuzeit‹ wahrzunehmen. Sogar die Judenvertreibung ist der spontanen Volkswut entwunden. Sie darf jetzt erst nach Überprüfung der Fakten verordnet und nur »von oben« vollzogen werden. Solange aber das Folterrecht Bestand hatte, konnten »gemeingefährliche« Volksgruppen wie Juden und Hexen verklagt, verhört und rechtens abgeurteilt werden – aufgrund von Freveltaten, die ihnen von Volksmund und Bildungspresse unterstellt und in der Folterkammer bestätigt wurden.

134

14. Die Juden als Wegweiser zur Reformation

Die Frage nach der Kontinuität in Luthers Denken über die Juden hat in zunehmendem Maße die Forschungsenergien auf sich gezogen.[24] Die Vorfrage, inwieweit Luthers Judenschau in der Kontinuität der Zeit steht, scheint hingegen keiner Antwort mehr zu bedürfen. Hier ist alles längst klar: Ist er Judenfreund, so hat er die Kontinuität durchbrochen; ist er Judenfeind, so verlängert er das Mittelalter in die Neuzeit. Der unvermittelte Einstieg bei Luther liefert orientierungslos derart groben, modernen Alternativen aus. Es gibt im 16. Jahrhundert aber keinen Philosemitismus, und Judenfreunde sind unter den Christen die seltene Ausnahme – Justus Jonas und Andreas Osiander werden diesem Prädikat noch am ehesten gerecht. An der Polemik gegen die Juden haben sogar alle teil.

Es gilt also, hellhörig zu werden, achten zu lernen auf Härtegrade und Verleumdungsintensität, auf Argumentationsebenen und Angriffspunkte. Die »Beweise« von Marienentehrung, Sakramentsschändung und Kindermord, ob nun von Höltzel, später von Hubmaier, Hätzer oder Eck vorgelegt, bezwecken allesamt, die jüdische Gefahr zu belegen. Die exemplarische Bedeutung des ›Unglaublichen Vorfalls‹ für das Lutherverständnis liegt im Kontrast. In den Augen des Druckers Hieronymus Höltzel ist der brandenburgische Mordskandal kein Einzelgeschehen, der richterlich fallweise erledigt werden könnte, sondern natürliche Folge von Christusmord und Christenhaß. Das ist bei Luther nicht der Fall, in keiner Phase seines Wirkens, auf keiner Stufe seiner Polemik.

Ganz anderer Art sind die Probleme, wenn Luther nicht mehr mit seiner Umwelt, sondern mit seiner Nachwelt konfrontiert wird. Jeder Form des Angriffs und jedem der nuancierten Standpunkte im Kampf gegen die Juden droht heute das scheinbar einleuchtende Urteil ›Antisemitismus‹. Alle historische Forschung ist von vornherein überflüssig, wenn wir die darwinistische Selektionstheorie und die spätere Rassenideologie auf die vergangene Zeit zurückprojizieren und meinen, die Vergangenheit so von angeblich höherer Warte aus durchschauen zu können. Dem gegenüber muß man sich einprägen, daß Luther bei den Juden nicht eine Rasse vor Augen hat, bei getauften und ungetauften Juden nicht von einer ethnischen, völkischen Einheit ausgeht. Getaufte Juden gehören ohne Einschränkung zum Volk Gottes, genauso wie auch die getauften Germanen, die Heiden.

Er denkt somit bei den ungetauften Juden nicht an geborene Mörder und Spitzbuben, sondern an die Träger einer Religion, und zwar jener Gesetzesreligion, auf der nicht nur die ungetauften Juden beharren. In seiner reformatorischen Entdeckung wird ihm gewiß, daß dieser Judaismus innerhalb der päpstlichen Kirche erschreckend viele mitgerissen hat. Und später, im Kampf um die Reformation der Kirche, wird ihm offenbar, wie jüdische Gesetzlichkeit mit fortgeschrittener Zeit in gleicher Weise die evangelische Bewegung bedroht. Über die Jahre hinweg hat sich an dieser Sicht des Zusammenpralls von Gesetzesreligion und Evangelium, von Heils- und Unheilsgeschichte, Gott und Widergott, Christus und Antichrist, nichts geändert. Einer Rassentheorie ist Luther nie begegnet, seinen Zorn erregt hat vielmehr jede ›völkische Theologie‹, die Samen Abrahams mit Volk Gottes identifizierte.

Der Einstieg in die Lutherschriften ist mit Sorgfalt auszuwählen. Würde man von den Judenschriften der letzten Lebensjahre ausgehen,[25] in denen er die Kirche mit Vehemenz vor jüdischer Ansteckungsgefahr warnt und mit Polemik gegen rabbinische Lügen, ihre Verzerrung der Heiligen Schrift, nicht zurückhält, so könnten die frühen, angeblich judenfreundlichen Äußerungen

136

überholt erscheinen. Spätere, persönliche Erlebnisse und eigenes Studium jüdischer Schriften hätten ihn dann aus den Toleranzträumen der jungen Jahre gerissen.[26] Geht man dagegen von seiner Anklage aus gegen das »christliche« Benehmen den Juden gegenüber in der Schrift vom Jahre 1523 – *Daß Jesus Christus ein geborner Jude sei* –, so könnte man die Härte der Spätschriften als Alterserscheinungen[27] begütigen. Überhaupt besteht die Gefahr, den jungen Luther zu heroisieren, die Lutherschriften der zwanziger Jahre zum Freiheitsfanal und geistigen Testament zu erheben, das nahezu unbekannte Spätwerk aber als »Rückfall ins Mittelalter« erleichtert im Regal zu belassen.[28]

Eine andere Irreführung erscheint so einleuchtend, daß wir uns längst an sie gewöhnt haben: Bei Beschränkung auf die fünf thematischen Judenschriften ist das Beweismaterial nicht nur unerträglich dezimiert, sondern auch so programmiert, daß von Anfang an die Verankerung der Judenfrage im Grundmuster der Theologie Luthers übergangen wird.[29] Die Judenfrage wird dann dem einen zum beliebigen Nebenthema, das wohl tragisch in den Auswirkungen, aber nicht eigentlich Luther, sondern dem Zeitgeist anzulasten ist. Der andere, dem die Judenschriften reichen, findet hier die Gretchenfrage – Martin, was hältst du von den Juden? – nicht nur gestellt, sondern auch beantwortet: Nicht dem Zeitgeist ausgeliefert, sondern den Ungeist prägend. Doch gerade die »Gretchenfrage« verlangt das geduldige Hören auf eine ganze Antwort. Es ist deshalb an jenem Punkt einzusetzen, der nicht nur zeitlich, sondern vor allem auch gattungsmäßig als »Mitte« Luthers bezeichnet werden muß, nämlich bei den von ihm selbst als Grundmuster des Glaubens und Kurzform des Bekenntnisses vorgelegten Schriften.

In der ersten Hälfte des Jahres 1520 faßt Luther zwei früher erschienene Schriften, die Erläuterung der Zehn Gebote (1518) und des Vaterunsers (1519), zusammen und fügt zwischen beide die Erklärung des apostolischen Glaubensbekenntnisses. Dort heißt es zum dritten Glaubensartikel: »Kein Jude, Ketzer, Heide oder Sünder wird selig, ohne sich mit der Gemeinde der Gläubigen versöhnt und vereint zu haben.«[30] Neun Jahre später wird diese Grenzmarkierung der Kirche Christi im *Großen Katechismus* gefestigt und ausgebaut – die Türken werden jetzt eingefügt[31] – unter Beibehaltung der deutlich erkennbaren Grundstruktur: Der Glaube an »eine heilige, christliche Kirche« – sancta ecclesia catholica – scheidet »uns Christen von allen andern leuten auff erden ... es seyen Heyden, Türcken, Jüden odder falsche Christen und heuchler«.[32]

Geht es im Bekenntnis um die Abgrenzung der Kirche des Glaubens, so wird in der Verkündigung eben diese Grenze zusehends zum Kampfgebiet. In den späteren Predigten seit Anfang der dreißiger Jahre ruft Luther auf zum Sammeln unter dem »Feldheubtmann« Christus gegen die wachsenden Angriffe des Satans auf die zentralen Glaubensstücke.[33] Der Streit des Widersachers gegen die wahre Kirche ist gewiß kein neues Thema, weder in der kirchlichen Tradition noch beim jungen Luther.[34] Nachdem aber das Evangelium entdeckt, im Bekenntnis formuliert und zum Grundstein des Aufbaus einer evangelischen Kirche geworden ist, erlebt Luther den in der Heiligen Schrift angekündigten Sturm auf die wahre Kirche: Der Teufel, jetzt zum Äußersten gereizt und herausgefordert, entfacht die letzte, die endzeitliche Großoffensive durch seine Römer, Ketzer, Türken und Juden.

Die harten Judenschriften, daran ist nichts zu deuteln, sind kompromißlos hart. Sie stehen aber keineswegs vereinzelt da, sie bilden kein Spezialthema und sind nicht der Ausdruck einer Haßneurose, nicht zurückzuführen etwa auf frühe Kindheitserlebnisse oder spätere schockierende Erfahrungen. Sie sind vielmehr der Ausdruck von Luthers Lagebeurteilung der Kirche am Ende der Geschichte. Stand die Kirche schon immer unter dem Beschuß des Teufels, so gewinnt dieser Ansturm mit dem Anrücken der Endzeit an Vehemenz. Das hatte bereits der Kirchenvater Augustin dem Mittelalter klargemacht, in seinem großen Geschichtswerk *Der Gottesstaat*. Luther weiß, daß diese Zeit gekommen ist. Der Teufel muß alle Hilfstruppen mobil machen, um die Reformation zurückzuschlagen, zurück bis nach Rom.

Im Rückblick auf die Anfänge zeigt sich, daß die Reihung von Juden, Häretikern und Abtrünnigen, ein Grundmotiv der Theologie bereits des jungen Luther ist.[35] Diese Unheilskette fungiert zunächst als Hilfsmittel der Schriftauslegung; sie gehört zum Instrumentarium, um den einen Bibeltext in seinen vielfachen Aussageebenen zu erschließen. Denn in der Schrift, vor allem des Alten Testamentes, finden wir auf der Ebene des Wortsinns (sensus litteralis) die Darstellung der großen Taten Gottes in der Vergangenheit. Auf der Ebene der Auslegung für die Christen heute begegnet uns die existentielle und dogmatische Anwendung des Textes, wo der Einzelchrist in Glauben und Leben (sensus tropologicus) und die Kirche in Bekenntnis und Lehre (sensus allegoricus) eingewiesen werden. Angewendet auf die Juden heißt das: Was von ihnen als Verstockten im Wortsinn gesagt wird, gilt im übertragenen, allegorischen Sinn für alle »aufsässigen Christen« und zielt tropologisch oder ethisch auf die hartnäckige Sündenmacht im Menschen.[36] Dabei ist zu beachten, daß diese Zusammenschau nicht zu den Neuentdeckungen Luthers gehört; er hat sie sowohl in Augustins Psalmenkommentar anschaulich ausgeführt[37] als auch in der mittelalterlichen Bibelauslegung zur festen Formel geprägt[38] finden können.

Die Unheilskette – Juden, Häretiker, Gegenkirche – wird von Luther nicht nur als elementares methodisches Hilfsmittel der Bibelforschung eingesetzt. Die Reihung von antigöttlichen Mächten ermöglicht es darüber hinaus der ganzen Christenheit, die Zeichen der Zeit zu lesen und die Epochen der Weltgeschichte im »Fortschritt« des Unglaubens zu unterscheiden. Unglaube und Gottvergessenheit umstellen schon immer die Kirche, finden aber je nach der Epoche neue Bannerträger: die Juden zur Zeit Christi, dann die Häretiker zur Zeit der Kirchenväter und schließlich, am schlimmsten, ›wir elenden Christen selber‹.[39] Alle drei, ›wir elenden Christen‹ nicht ausgenommen, haben über die Zeiten hinweg den Bund Gottes nicht bewahrt, haben sein Wort und Werk vergessen und so sein Gericht herabgezogen.[40]

Auch diese Dreiteilung der Geschichte ist von der Tradition vorgegeben. Bei Augustin sind es in der ersten Epoche der Kirchengeschichte die Christenverfolger, in der zweiten, seiner eigenen Zeit, die Häretiker und Scheinchristen; die dritte Epoche steht noch aus, wenn durch den Antichrist – in der Kirche Christus zum Verwechseln ähnlich, in der Welt ihm deutlich überlegen – alle Bedrohungen der Vorzeit geballt auf die Christenheit einstürmen werden.[41] Im Mittelalter wird Augustin durch Bernhard von Clairvaux († 1153) übernommen, fortgeschrieben und, aufgeladen durch die Unheilsprophetie »von innen«, zugleich markant umgedeutet: Die frühe Kirche hat unter den Verfolgungen der Heiden ausgeharrt, bis ins 11. Jahrhundert haben die Kirchenlehrer die kirchliche Mauer gegen den äußeren Ansturm der Häretiker zu schützen gewußt. Jetzt aber, in der dritten Epoche, ist die Zeit des Zerfalls von innen her gekommen.[42]

Bei Luther greift nun beides zusammen, Schriftverständnis und Geschichtsdeutung, die diabolische Unheilskette und das schrittweise Nahen des Antichrist, der am Ende der Tage die Kirche Christi wie nie zuvor aushöhlen und unterwandern wird. Jetzt sind die Juden nicht mehr nur in der Vergangenheit zurückgelassene Vorläufer in der Geschichte der Unterwanderung des Evangeliums, sondern sie markieren zugleich die präzisen Koordinaten, um die Einbrüche des Bösen in die Kirche der eigenen Zeit recht zu orten. Nicht am Sakramentsschänder und Kindermörder, auch nicht am Wucherer und schon gar nicht am Volks- oder Artfremden entzündet sich Luthers Judenbild; entscheidend sind allein die Juden als prototypischer ›Meßkanon‹, um die Einbruchsstellen des Teufels in die zeitgenössische Kirche zu sondieren. Nicht ›der Jud‹, sondern ›die Juden‹ bestimmen das Suchen.

Luthers erste große Vorlesung als junger Professor in Wittenberg war während der Jahre 1513 bis 1515 den Psalmen gewidmet. Hier bereits wird diese Meßsonde auf Schritt und Tritt eingesetzt: Was jeweils von den Juden gesagt ist, betrifft genauso die Häretiker und entlarvt zugleich die Abirrung der heutigen Kirche in Lehre und Sitte. Die ersten zwei Glieder, Juden und Häretiker, fungieren als die statischen Meßdaten; die volle Aufmerksamkeit des Auslegers gilt der Anwendung auf die eigene Zeit, bedacht je nach Text und Kontext des zu deutenden Psalmverses. Über Jahre hinweg war Luther bemüht, am Text der Psalmen, in zunehmendem Maße sogar am hebräischen Urtext, den Gang der Kirche in Geschichte und Gegenwart zu ermitteln. Psalm für Psalm fügt sich Beobachtung an Beobachtung, wird Textexegese zur Zeitdiagnose, richten sich die Augen von den Juden damals zu uns Juden heute.

Daß Mohammed sich den Juden zugesellt und die Kirche von außen bedroht, überrascht nicht. Doch die Spitze der Bedrohung steckt bereits innen: Die Kirche ist schon bis in ihre Strukturen hinein angetastet durch falsche Lehrer, zerstrittene Universitäten und durch Mönchsorden, die ihrer eigenen Ehre nachjagen. Die Juden heute sind vor allem wir elenden Christen selbst. Das ist kein demütiges Privatbekenntnis und keine fromme Selbstanklage; auf dem Spiel stehen nicht moralisches Handeln oder sittenloses Vergehen, sondern Wahrheit oder Lüge. Ohne rechte Lehre sind wir dem Fluch und der Welt verfallen, beherrscht von Stolz und überheblicher Selbstsicherheit, offen für Aberglaube, dem Glauben verschlossen, selbstgerecht und hochfahrend uns selbst zum Gesetz geworden.[43]

Dieser letzte, mit Hilfe der Judensonde erhobene

Befund erscheint bei Luther am häufigsten, er ist gleich-
sam die Bündelung aller Einzeldiagnosen. Die ›Gerech-
ten‹ weichen ab vom rechten Glauben,[44] weil sie sich
nicht Gottes Urteil, der Schrift und dem Zeugnis der Kirchenväter beugen. Im Bestehenwollen vor Gott liegt aber
der Ansteckungsherd jener Vielfalt von lebensgefährli-
chen Krankheiten, die jetzt diagnostiziert werden können. An den Juden wird sichtbar, daß das Festhalten an
der eigenen Gerechtigkeit zu Widerspruch, Widerstand
und letztlich zum Aufstand gegen Gott führt.[45] Der Blick
geht weit über Golgata, über die Kreuzigungsstätte, hinaus und reicht in die eigene Kirche hinein. Hier droht der
Tod Christi heute.

An den Juden leuchtet ebenfalls auf, worum es in
dem bald öffentlichen Kampf um Gnade und Glauben
gehen wird: Gottlose Selbstgerechtigkeit bedeutet gna-
denlosen Atheismus. Wer sich selbst gerecht ist, will Gott
nicht wahrhaben und ihn nicht Gott sein lassen.[46]

Am Gericht über die Juden wird schließlich ein
Drittes sichtbar: Der Zorn Gottes wird den Unglauben
seines Volkes strafen. Wenn wir uns nicht Christus zuwenden, schlägt uns Gottes Hand.[47] So wie Gott das Volk
Israel mit der babylonischen Gefangenschaft, bis heute-
hin mit ›Elend‹ gestraft hat, so handelt er auch am Volk
der Christen. Hier treiben die Juden den papsttreuen
jungen Professor Martin Luther erstmals zum unerhör-
ten Verdacht: Sind wir elenden Christen nicht bereits im
Exil?

Es bedeutet keine Änderung in Luthers Denken,
wenn er sich im August 1514, anläßlich der Bekehrungs-
offensive des Kölner Theologenkreises um den getauften
Juden Johannes Pfefferkorn, gegen die Verbrennung jüdischer Bücher ausspricht. Mit Säuberungsaktionen, mit
Feuer und Schwert sind die Juden nicht zu bekehren. Sie
wissen genausowenig, was recht vor Gott zu stehen heißt,
wie die Christen. Wir sollten uns deshalb vielmehr in
ihnen spiegeln und selber Gottes Zorn fürchten.[48] Bevor
der junge Luther öffentlich zum Kampf um die Refor-

mation der Kirche antrat – und antreten konnte –, ist ihm an den Juden aufgegangen: Der Zorn Gottes gilt allen, Juden und Christen, allen, die seinem Wort widerstehen. Nicht die Juden werden von Luther aufgewertet, sondern die Christen überführt.

15. Juden und Christen im Exil

Die Reihung ›Juden, Häretiker und Scheinchristen‹, bei denen es sich nicht um laue Karteichristen, sondern um des Teufels fünfte Kolonne handelt, bleibt die Konstante in Luthers Theologie bis in seine Spätschriften hinein. Alle drei sind Handlanger des Satans, gerichtet gegen das wahre Israel, gegen die gläubige Kirche aller Zeiten.[49] Als im Oktober 1518 der päpstliche Abgesandte Kardinal Cajetan den bereits angeklagten Ablaßkritiker in Augsburg verhört und auf glattem Widerruf besteht, schwindet Luther die Hoffnung, daß die Papstkirche zu Umkehr und Reform bereit und imstande ist. Immer weniger läßt sich die furchtbare Vermutung zurückdrängen, der Antichrist habe bereits den Heiligen Stuhl in Rom usurpiert. Zusammen mit seiner Zeit weiß Luther, daß mit der Entfesselung des Antichrist die letzte Epoche der Weltgeschichte angebrochen ist. Die konstante Präsenz des Satansreichs in allen Epochen wird in der Endgeschichte nochmals gesteigert, mit ungekannter Vehemenz bricht der Teufel hervor.

Voller Spannung hält bereits der junge Luther Ausschau nach den Zeichen der Endzeit und weiß genau, worauf dabei zu achten ist. Die Juden liefern das Anschauungsmaterial und das diagnostische Instrumentarium für die bis 1520 verdeckte christliche Krankheit zum Tode.[50] Sie bleiben ihm auch nach dem Abschluß seiner alttestamentlichen Vorlesung über die Psalmen in seiner Arbeit am Neuen Testament, in seinen großen Paulus-Vorlesungen (1515–1518), Seite um Seite der Schlüssel für die Interpretation der eigenen Zeit; diese ist wie zuvor umtobt, aber – so Luther vor 1520 – noch nicht überrannt vom Antichrist. Gott zeigt öffentlich an den Juden, die nicht nur verhüllt im Geiste, sondern auch vor aller Augen in der Welt unter seiner Strafe stehen, wie es um die ganze Kirche in Wirklichkeit bestellt ist.[51] In dieser Frühphase, vor Kirchenbann und Reichsacht (1521), gilt das Interesse nicht den zeitgenössischen Juden. Es ist vielmehr die in ihrer Gottvergessenheit bis in die Fundamente gefährdete Kirche, deren Bild sich spiegelt in Geschichte und Gegenwart der jüdischen Gesetzesreligion. Die heutigen Christen sind den Juden ähnlich, ja noch viel schlimmer – »immo peiores«.[52]

Ohne daß er die beispielhafte, diagnostische und abschreckende Funktion der Juden je aus den Augen verlöre,[53] wird von Luther, zu der Zeit, als von Wittenberg aus das Evangelium in Wort und Schrift öffentlich proklamiert wurde, das Elend des gemeinsamen Geschickes, der gemeinsamen Blindheit hervorgehoben: Die evangelische Verkündigung bringt die letzte Chance auf Bekehrung für beide, für irregeführte Juden und Christen. Nachdem die ›Meßergebnisse‹ aus den Vorlesungen der Frühphase sich seit Anfang 1520 zum eindeutigen Bild festgefügt und die Teilbeobachtungen im ›Judenspiegel‹ eine zweifelsfreie Identifizierung der falschen Kirche hergegeben haben,[54] wird die babylonische Gefangenschaft der Juden als diabolisches Gefängnis für Juden und Christen entdeckt.[55] Hier hilft keine Säuberungsaktion, keine Inquisition, kein frommer Papst, kein progressives Reformkonzil. Nur Gott kann noch retten und heraushelfen: Reformation ist Gottessache, nicht Menschenwerk.[56]

Jetzt erst wird auch die scheinbar judenfreundliche Aussage Luthers recht verständlich: »Wenn Haß auf Juden, Häretiker und Türken einen zum Christen macht, dann sind wir mit all unserem Wüten die allergrößten Christen. Falls dagegen die Liebe zu Christus entscheidendes Merkmal ist, dann sind wir zweifellos schlimmer als Juden, Häretiker und Türken zusammen.«[57] Wie die ähnliche Aussage des Erasmus diesem fälschlicherweise den Ruf der Judentoleranz eingetragen hat, so wird auch Luther voreilig ein Umschwung zugesprochen. Es handelt sich aber nicht um einen Wandel in seinem Denken, nicht um eine plötzliche, mit dem reformatorischen Durchbruch einhergehende Aufwertung der Juden. Es geht vielmehr um die Entlarvung der haßansteckenden Vergiftung, die von den kirchlichen Trägern der jüdischen Pest verbreitet wird – »participes impietatis Judaicae«.[58]

Die Verkündigung des Evangeliums hat den Einbruch des Teufels in die Kirche offenkundig gemacht und der Versklavung des Menschen durch ihn die Freiheit der Gnade Gottes entgegengestellt. Jetzt kann der Antichrist nicht mehr umhin, er muß sich mit allen Kräften wehren. Er ist zum Äußersten gereizt[59] und zieht mit Juden, Türken und Papst seine große Koalition zusammen. Mit Rotten und Schwärmern weiß er sogar das neuentdeckte Evangelium in den eigenen Dienst zu pressen, um so die Reformation heimtückisch zu hintertreiben. Die Juden treten jetzt aus ihrer Funktion als Spiegel und Sonde heraus. Nun drohen sie, mit ihrer Präsenz und Kampfeskraft – wie schon immer im Bündnis mit allen Gottesfeinden – das befreite Volk in die Gefangenschaft zurückzuführen. In der Klimax der Endzeit erweitern die Juden ihre Fehde von der Kirche auf Kaiser und Reich, aber, wie schon immer, nur als Satelliten und Handlanger des Urbösen. Die vielen, Jude, Türke, Papst, sind jetzt als der eine anstürmende Gegner ausgemacht.

Noch einmal zurück zu den Anfängen: Die Schriften, die im Ringen um das richtige Verständnis der Bibel seit 1513 geschrieben wurden, bezeugen ein konstantes Urteil über die Gegenkirche; sie umfaßt als Grundkonstituenten mit den Juden auch die Häretiker und Scheinchristen. Diese Zusammenschau hat erhebliche Konsequenzen. Drei Gedankenschritte auf einem einzigen Weg werden hier greifbar. Die Abweisung Christi durch die Juden wird ›heute‹ in der Kirche selbst betrieben. Die ›Sautheologie‹[60] der eigenen Zeit widerspricht und widersteht in ihrem Bestehen auf der Selbstgerechtigkeit dem Kommen Gottes in Christus.

Zweitens entdeckt Luther an dem Anspruch der Juden, als Same Abrahams korporativ für ewig Volk Gottes zu sein, die Grundlosigkeit der parallelen Behauptung: Wer zum Papst hält, hält zu Christus – ubi papa, ibi ecclesia. Papsthörigkeit und Konsensus der herrschenden Kirche sichern Wahrheit und Heil ebensowenig wie die Blutsverwandtschaft mit Abraham.[61] Ein Gotteskind baut nicht auf Blut und Leistung, sondern allein auf Gottes doppelter Gabe von Heilszuspruch und Glaubensgemeinschaft. Gott rettet die Sünder nicht nur, er sammelt sie auch zur sichtbaren Kirche des Wortes. Ubi verbum, ibi ecclesia – wer zum Wort hält, hält zu Christus!

Die Verbindung von evangelischer Rechtfertigungslehre und neuem Kirchenverständnis führt nun zu einer dritten Konsequenz. Der Zugang zum Evangelium ist nicht länger blockiert, die Zeit der Judenbekehrung ist gekommen. Nur wenn man diese Erwartung isoliert betrachtet, kann sie als Wende gedeutet werden. Luther erwartet jedoch keine umfassende Judenbekehrung, und seine Hoffnung gilt keinesfalls den Juden allein. Befreit und aus der Gefangenschaft heimgeführt wird vielmehr die wahre Kirche aus Juden und Heiden – so diktiert es Luther seinen Studenten bereits in der Römerbriefvorlesung (1515/16), als er im Winter 1516 in freier Rede seinen schriftlich vorbereiteten Kurztext weiterdenkt und zurückläßt.[62]

In den Jahren 1519 bis 1523 ist Luther von dem Gedanken getrieben: Gott ist im Werke, er hat begonnen, die Seinen aus allen Völkern, Juden und Heiden, der babylonischen Gefangenschaft zu entreißen. Durch die Wiederentdeckung des Evangeliums kann Christus jetzt unverzerrt verkündigt werden.[63] Dadurch wird der Glaube geweckt, welcher der wahren Kirche den einzigen Ausweg bahnt.[64] Luther ist keineswegs befallen von Bekehrungsoptimismus, den man aus ermutigenden Erfahrungen mit Juden im Wittenberger Umkreis oder auf dem Wormser Reichstag im Jahre 1521 erklären könnte.[65]

Der provokative Titel seines Werkes von 1523, daß Jesus Christus ein geborener Jude ist, wird heute gern benutzt, um mit Hilfe des jungen Luther das Bild des angeblich bösartigen alten aufzuhellen. Doch ist auch 1523 die Kritik am Judentum als Religion so kompromißlos wie in späteren Jahren. Christentum und Judentum schließen einander aus, Reformation ist nicht Heilszeit für die Juden. Er rechnet nicht damit, daß Juden in Scharen Christen werden, wie das später viele Evangelische, Pietisten, Puritaner und sogar orthodoxe Lutheraner getan haben. Als Gemeinschaft bleiben sie wie Türken, Ketzer und falsche Christen unter der Ägide des Antichrist. Es gilt jetzt aber, dem »Rest«, dessen Bewahrung der Prophet Jesaja vorausgeschaut hat (Jesaja, Kapitel 10, 20–22), den Zugang zum Wort zu eröffnen. Trotz Verstockung der großen Mehrzahl, so heißt es in Luthers eigenem Glaubenshymnus, in seiner Auslegung des Lobgesangs Mariens (Magnificat 1520/21), sollten wir die Juden nicht unfreundlich behandeln, »denn es sind noch Christen unter yhn zukunfftig ...«.[66]

Das ist keine Sondertheologie für Juden. Das gleiche gilt von allen Gottesfeinden, von Scheinchristen und Nichtchristen, Türken und Papisten. Die Grenzen der Kirche sind unseren Augen noch längst nicht enthüllt. Es sind, innerhalb oder außerhalb der Kirche, unter den Feinden etliche, die das Evangelium noch nie gehört haben. Gott hat einen Aufschub des Gerichts verfügt und damit eine einzigartige Frist geschenkt. Nicht durch Exkommunikation oder Inquisition können Gotteskinder je gesammelt werden. Häretiker werden nicht durch das Feuer der Scheiterhaufen, sondern nur durch das Feuer der Liebe überwunden;[67] die Türken können wir genauso wie unsere eigenen ›großen Hansen‹, die Spitzen in Kirche und Gesellschaft, nur durch Überzeugung bekehren, nicht mit Gewalt überwinden.[68]

Als Luther im März 1522 trotz Reichsacht und Kirchenbann aus seinem Versteck auf der Wartburg nach Wittenberg zurückeilte, hat er nicht aus Papstfreundlichkeit oder politischem Kalkül die Durchführung der Reformation in Wittenberg sistiert. Eine Woche lang hat er wortgewaltig von der Kanzel der Wittenberger Schloßkirche sich in den sogenannten Invokavitpredigten gegen die Festschreibung der Reformation durch Ratsbeschluß und Gesetz gewehrt. Die Altgäubigen sollten durchs Wort gewonnen werden, deshalb »Schonung der Schwachen«! Das ist kein Sonderwort, das nur zu erklären wäre aus der prekären Lage der Wittenberger Wirren. »Schonung der Schwachen« ist vielmehr organischer Teil einer einzigen Gesamtschau: Es sind noch Christen unter ›yhn‹![69]

16. Die Härten des alten Luther

Die Verkündigung des Evangeliums offenbart Juden und Christen in gleicher Lage, ja im gleichen Lager, solidarisch im Elend, im Exil. Wie konnte diese Solidarität so auf der Strecke bleiben, daß der alte Luther zu sagen wagt: »Es stimmet aber alles mit dem urteil Christi, das sie [die Juden] gifftige, bittere, rachgirige, hemische Schlangen, meuchel mörder und Teufels Kinder sind, die heimlich stechen und schaden thun, weil sie es öffentlich nicht vermögen. ... Ein Christ [hat] nächst dem Teufel keinen gifftigen, bittern feind ..., den einen Jüden.« Sollte die These vom Wandel Luthers doch zutreffen und die Formel von der »Verhärtung und Verengung im Zuwachs der Jahre« sich sogar als Beschönigung ausweisen für den völligen Zusammenbruch früherer Ideale? Verzweifelt der alte Luther an der Schonung der Schwachen, wenn er seine letzte Predigt vom Februar 1546 mit dem Vermächtnis schließt: Die Juden sollen sich bekehren, »wo aber nicht, so sollen wir sie auch bey uns nicht dulden noch leiden«![70]

Um recht zu urteilen, ist vorauszuschicken, daß Luther mit der Reformation nicht die Erwartung auf bessere Zeiten verknüpft, daß er nicht eine künftige Koexistenz aller Menschen und Rassen vorbereiten will. Als moderne Menschen bewerten wir die Reformation nach dem Maßstab der Aufklärung, der religiösen, sozialen und politischen Emanzipation; und davon ist im Vergleich zum Mittelalter über Luther tatsächlich Handfestes auszusagen. Doch die Grundwerte seines Glaubens und die Triebfeder seines Kampfes entziehen sich den Maßstäben jener Fortschrittsschau auf kontinuierliche Besserung. Reformation ist Frist und Aufschub, nicht Anfang der Neuzeit, sondern Ende der Weltzeit.

150

Dieses Ende verläuft für Luther in drei Phasen: Vor, während und nach der ersten öffentlichen Verkündigung des wiederentdeckten Evangeliums – in Vorreformation, Reformation und erfolgreiche Gegenreformation.

Nachdem das vom jungen Reformator entdeckte Evangelium seit 1519/20 öffentlich verkündigt und in der Volkssprache verbreitet worden ist, hat der Gemeindeaufbau durch Katechismus und Bekenntnis, durch Liturgiereform und Visitation (1523 bis 1529) zu jener sichtbaren Gestalt der Sammlung der Gläubigen, zu jener evangelischen Kirche geführt, gegen die sich jetzt, in der Endphase der Weltgeschichte, alle Gegenkräfte verschwören. Wie erwartet, ist die Offensive der ›Gegenreformation‹ eingetreten. Alle Angriffe der Vorzeit konzentrieren sich in der einen Endzeit: Christenverfolgungen wie die der römischen Kaiserzeit werden in vielen Territorien Deutschlands und in ganz Europa, von den Niederlanden bis Spanien und Italien, erneut grausam durchgeführt. Der Großangriff durch Häretiker, dem Väter und Lehrer der Kirche entgegengetreten sind, bedroht die Beständigkeit im Glauben allenthalben. Die Zentrallehren über Gott und Christus sind wie einst in Gefahr. Im Zeitalter der Reformation erfüllt sich überdies an der Kirche die Prophetie des Bernhard von Clairvaux, daß in der Endzeit die Gemeinde Christi am meisten aus den eigenen Reihen bedroht wird. Deshalb auch hat Luther so vehement reagiert auf Dissenz im evangelischen Lager, sei es gegen seinen Kollegen Andreas Karlstadt in Wittenberg oder gegen den Zürcher Reformator Huldrych Zwingli.

Grundmerkmal des alten Luther bleibt bis zu seinem Tode der nicht nachlassende Einsatz gegen die Ballung der diabolischen Attacken an allen Fronten zugleich. Zunächst ist mit dem roten Tuch des Evangeliums zu provozieren, um die versteckten Handlanger des Teufels hervorzulocken; dann gilt es, mit allen Kräften der Vehemenz ihrer Angriffe standzuhalten. Im Jahre 1537, in der Mitte seines letzten Lebensabschnittes, faßt er in einem Satz zusammen, wie sehr die Kirche bedroht ist, mit welcher Zuversicht sie diesen Kampf aber auch aufnehmen kann: »Und dis ist ein notiger trost fur die Christen, das sie nicht zweiveln, das die Christliche Kirche bleibe inn der welt, mitten unter allen ungleubigen, Türcken, Heiden, Jüden, Ketzer und Rotten, auch mitten unter dem leidigen Teuffel und seinen Engeln. Denn hie stehet die verheissung, die nicht leugt noch feilet: Der Heilig Geist ›wird euch alles leren und erinnern‹ [Johannes, Kapitel 14, 26].«[71]

Daß die Reformation mit einer Gegenwehr zu rechnen hätte, daß sie den Gegner nicht schwächen, sondern sogar stärken würde, ist Luther nicht zweifelhaft und als Ablauf der Endzeit gewiß. Er braucht nur auf die Zeichen der Zeit zu schauen, um zu erkennen, daß die Zahl der Tage bis zum Ende rapide abnimmt. Welches Geschehen ist ihm zum Zeichen geworden, und sei es auch immer unter dem Vorbehalt, daß Gottes Frist sich nicht errechnen läßt? Luthers literarische Hinterlassenschaft, gesammelt in hundert starken Bänden, mit einer Fülle von sehr persönlichen Äußerungen in Briefen und Tischgesprächen, ermöglicht einen breit dokumentierten Rückblick auf die Stadien seines Lebens. So ist es möglich zu rekonstruieren, an welche Ereignisse und Erlebnisse Luther die letzte Eskalation im Endkampf geknüpft hat.

Zunächst ist auf Erschütterungen im engsten Kreis zu achten. Der Psychohistoriker, der äußeres Verhalten auf seelische Abläufe zurückführt, wird darauf hinweisen wollen, daß Luther im Jahre 1530 seinen Vater verliert. In tiefe Trauer gestürzt durch den Bericht, daß der Vater Hans am 29. Mai gestorben ist, schreibt er sofort an Melanchthon: »Nun trete ich die Erbschaft unseres Namens an, jetzt bin ich wohl der alte Luther in meiner Familie.«[72] Mit dieser Erbschaft ist kein Besitzzuwachs gemeint, sondern das Recht, dem Vater als nächster ›durch den Tod zu Christus nachzufolgen‹.[73]

Aber weit mehr als von seinem Psychogramm, weit

mehr als von den oft bemühten Alterserscheinungen oder sogar Altersregressionen, wird seine unzweifelbare Verhärtung bestimmt von der Sorge und Trauer um die Sache des Evangeliums in einem Land, das nachweislich dabei ist, schon wieder zu vergessen, aus welcher elenden Gefangenschaft Gott am Werk ist, sein Volk zu retten.[74] Das Evangelium der Freiheit wird zum Freibrief, das Gemeinwohl zu mißachten. Der Bauernkrieg bleibt kein Einzelfall. Fürsten machen mit dem Evangelium Politik und evangelische Theologen wollen gescheiter sein als die Schrift. Die erwartete Gegenreformation hat offenbar eingesetzt. So sicher auch vorausgewußt im Glauben, so tief trifft doch der Erfolg des Teufels.

Jetzt häufen sich die Darstellungen seines reformatorischen Durchbruchs, im Jahre 1545 in klassischer Form zusammengefaßt, um die ahnungslose Jugend zu mobilisieren und ihr jene Finsternis vor Augen zu führen, die, noch längst nicht überwunden, nun wieder hereinzubrechen droht. In Tischreden und Vorlesungen beschäftigt er sich plötzlich wieder mit der Gestalt seines geistlichen Vaters Johannes von Staupitz, über den er sich seit dessen Tod (1524) ausgeschwiegen hatte.[75] Es ist nicht getan mit der Annahme, daß die Erinnerung an seinen geistlichen Vater die Lücke ausfüllen soll, die der Tod seines leiblichen Vaters geschlagen hat. Wie einst mit Staupitz, steht er wiederum an vorderster Front. So wird die Autobiographie zum Testament und sein Testament zur letzten Kampfansage gegen den Erzfeind Christi. Von Luther – wie von heute – aus gesehen, kann dieses Testament nur eins bedeuten: Die Reformation ist nicht Vergangenheit, sondern Ziel; die Ausführung aus der babylonischen Gefangenschaft ist nicht vollzogen, sondern im Vollzug.

Im größeren Kreis der öffentlichen Ereignisse wird Luthers Aufmerksamkeit ebenfalls auf die Zeit um 1530 gelenkt. In der Rückschau deutet er die Verlesung des Augsburger Bekenntnisses vor Kaiser und Reichstag am 25. Juni 1530 als letzten und äußersten Punkt der Annäherung im Kampf der Parteien um die Erneuerung der Kirche. Seit der Zurückweisung des Bekenntnisses, offiziell am 3. August, ist die Trennung der Papstkirche vom Evangelium zum definitiven Riß geworden.[76] Hatte er bereits Ende 1518 im Papsttum das Wirken des Antichrist gewittert,[77] so steigert er nunmehr seine Angriffe bis zum Trommelfeuer ›Wider das Papsttum zu Rom, vom Teufel gestiftet‹[78], und noch im gleichen Jahre 1545 anschaulich grob in den unverblümten Versen zu Lukas Cranachs ebenfalls massiven Spottbildern. So kann der Papst im Höllenrachen dargestellt werden, gekrönt von seinen Gesellen, der Teufelsbrut. Luthers Reim als Kommentar zu diesem Bild:

> In aller Teufel namen sitzt
> Alhie der Bapst: offenbart j[i]tzt:
> Das er sey der recht Widerchrist
> So in der Schrifft verkündigt ist.[79]

Dieselbe Zuspitzung gilt für Luthers Reaktion auf die Bedrohung des Reichs durch den militärischen Vormarsch des Islam. In den Jahren 1519 bis 1529 hat er die Türken bereits als ›Teufelsdiener‹, als höllische, zerstörerische Macht verstanden. Sie sind uns nicht blindes Schicksal, sondern die ›Zuchtrute‹ Gottes, der gegenüber die Kirche anders als die Obrigkeit reagieren sollte. Deshalb muß Luther einen religiösen Kreuzzug ablehnen und kann dennoch bestehen auf der Rechtmäßigkeit eines Verteidigungskriegs.[80] Als der Reichstag zu Augsburg zusammentrat, war Luther gezwungen, auf der südlichsten Festung Kursachsens, im fränkischen Koburg, zurückzubleiben. In der Einsamkeit der Veste beginnt er im April 1530 Hesekiel 38 und 39 zu übersetzen und auszulegen. Die hier ausgemalten Ungeheuer Gog und Magog sind zwei Großmächte, vereint im Kampf gegen Gottes Volk. Im späten Mittelalter noch auf die Juden gedeutet,[81] bezieht Luther die beiden Höllenmächte auf die Türken:[82] Nachdem der Teufel gesehen hat, daß Papst, Kaiser, Könige und Fürsten das Evangelium nicht einzudämmen vermögen, »denckt ers mit macht durch seinen Gog zu vertilgen«.[83] Während Melanchthon in Augsburg auf dem Reichstag um den Frieden bangt und sich deshalb um interne politische Probleme des Reichs kümmert, befasse er sich, so schreibt Luther ihm in diesen Tagen des Sommers 1530, mit dem Satansreich, das Leib *und* Seele zu verschlingen sucht: »Jetzt beginne ich, mit allen meinen Kräften mich gegen die Türken und Mohammed zu richten ...«[84]

Papst und Türke, gegen beide wendet sich Luther tatsächlich mit neuer, wütender Schärfe. Die zwei gehören zusammen und bilden einen ungeheuerlichen Giganten, der Papst ist der Geist, der Türke das Fleisch des Antichrist.[85] Aber bald gesellt sich zu Papst und Türke jener Dritte im diabolischen Bunde, der schon längst als Vorläufer in der Ahnengalerie der Gegner des Evangeliums ausgemacht war: Der unbekehrte, ja offensichtlich unbekehrbare Jude. Jude, Türke und Papst waren schon immer die Sturmtruppen der Teufelsarmee. In der theologischen Deutung längst in Rüstung gesichtet, werden sie jetzt militärisch handgreiflich.

Die Leitfrage galt Luthers angeblichem Wandel von Solidarität zur Hetze. Eine Antwort ist jetzt möglich. Solidarität mit dem Antichrist ist Luther – wie seiner Zeit – zu keiner Zeit denkbar gewesen, 1523 so wenig wie 1546. Ebensowenig war ihm die Reihung von Juden, Türken und falschen Christen je zweifelhaft. ›Luther und die Juden‹ wird also nur durch die Nachgeschichte zum Sonderthema. Es gibt zwar Judenschriften, sie gehören aber mit den Türken- und Papstschriften zu der einen unauflösbaren Gattung der Endzeitprophetie. Aus seinem Spätwerk, also aus den Zeugnissen der Jahre 1530 bis 1546, kann man einschlägige Judenzitate isolieren, und jedes für sich klingt erschreckend genug. Sie können aber nur dann als Judenhetze in das Beweisarsenal des Antisemitismus eingefügt werden, wenn wir aus der Distanz der Neuzeit an der Verklammerung von Judenschriften und Endzeiterwartung ahnungslos vorbeigehen. Das heißt in der Konsequenz: Bei dem alten Luther handelt es sich sowenig um Rassenhetze wie bei dem jungen um Solidarität. Das bedeutet im Blick auf die Nachgeschichte: Judenverstocktheit verzögert sowenig das kommende Ende wie Judenbekehrung dieses beschleunigt. Ein »judenfreies« Deutschland führt nie zum Tausendjährigen Reich.

17. Die Juden in der Endzeit

Es ist nicht mit letzter Sicherheit der Auslöser fest-
zumachen, der die Aktualisierung des Juden vom Vorläufer zum Vorkämpfer des Urbösen bewirkt hat. Eindeutig ist, daß die über Jahrhunderte eingeprägte Tradition von der Verschwörung aller Teufelsmächte in den
letzten Tagen auch die Juden zum Bedrohungspotential
der Endzeit gerechnet hat. Neben der Lokalisierung des
Antichrist in Rom beschäftigt Luther in den dreißiger
Jahren das Bündnis der Juden mit den Türken. Zudem
kommt in dieser Zeit, in der sich die Auseinandersetzung
mit den Täufern zuspitzt, allerorts der Verdacht auf, daß
sie sich vom Judentum so sehr haben anstecken lassen,
daß sie die Wirksamkeit der Sakramente des Neuen Testaments – Taufe und Abendmahl – leugnen. Damit
lästern sie genauso Christus im Sakrament, wie die Juden
»noch immer« Christus im Fleisch. Die Schwärmer, die
Sakramentsverächter, sind den Juden heutigentages zum
Verwechseln ähnlich: Der Teufel füllt »dem tollen pobel
die ohren mit solchem prechtigem lestern, das unser
Sacrament sey ein fleisch fressen und blut sauffen ...
Eben also thun die Juden heutigen tages; das [= damit]
sie yhre kinder bey yhrem glauben erhalten, lestern sie
Christum greulich ...«[86]
Als sich in den dreißiger Jahren die Gerüchte ver-
dichteten, daß Christen in weiten Teilen Europas, von
Böhmen und Mähren bis nach Polen, sich von Juden
beschneiden lassen[87] und ganze Gruppen zugleich jüdi-
sches Ritual übernehmen,[88] reift bei Luther der Entschluß, gegen diesen »Abfall und Rückfall« öffentlich
vorzugehen. Daraus erwächst seine Schrift *Wider die
Sabbather* (1538), die zwar bis heute zu den Judenschriften gerechnet wird, deren Argumentation jedoch auf die

Rückgewinnung der Neujuden zielt. Judentum hat keine Zukunft, ist nichts als Vergangenheit: »Die Juden sind nu Fünffzehen hundert jar ausser Jerusalem im elende, [so] das sie weder Tempel, Gottes dienst, Priesterthumb noch Furstenthumb haben. Und ligt also ir gesetz mit Jerusalem und allem Jüdischen Reich inn der aschen so lange zeit her.«[89]

So sehr christliche Sakramentsverächter und Juden zusammengeschaut werden, müssen sie doch, so heißt es in einer Tischrede aus der ersten Hälfte der dreißiger Jahre, unterschiedlich behandelt werden. Auf die Frage, ob nicht die Sakramentarier zu tolerieren seien wie die Juden auch, antwortet Luther: Juden sind offenkundig Blasphemiker, sie werden deshalb gemieden und können somit nicht schaden. Überdies wollen sie keine eigene Obrigkeit oder Kirche etablieren; »sie kann man deshalb dulden«.[90] Eine andere Religion kann also toleriert werden, solange sie keine Mission treibt und die Ordnung des Reiches achtet. Die Sakramentarier schleichen sich jedoch, anders als die Juden, in die Kirche ein und verweigern zudem der Obrigkeit den Gehorsam. Luther fügt dann auch jenen Grundsatz hinzu, der die Grenzen der Toleranz markiert und die Basis für die von ihm in den letzten Jahren befürwortete Judenpolitik bilden wird: »Wenn aber jemand, es sey wer da wolle, sive Iudaeus sive christianus (Jude oder Christ), wil den predigstuel oder keyserstuel einnehmen, non est ferendum hoc« – das ist nicht zu dulden.[91]

Die Schwärmer bilden nicht die einzige Einbruchstelle. Wie von Anfang an, jetzt aber gesteigert, ist mit der Judengefahr die Bedrohung durch die Türken direkt verbunden. Ihr Vormarsch nach Deutschland hat Luther wie kaum ein anderes Ereignis tief geschockt. Er ruft zwar nicht, wie die Kurie in Rom, die Christenheit zum Kreuzzug auf, weiß aber, daß nicht nur das Reich des Kaisers bedroht ist.[92] Die Wogen des Krieges haben zwar schon immer die Erde überzogen; Reiche kommen und gehen in Aufstieg und Niedergang – das ist nicht neu, so ist die Welt. Bald aber wird sie nicht mehr sein, es naht das Ende mit Schrecken, die Erde vergeht und die Schalen des Gotteszorns ergießen sich über eine Gott-lose Welt, wie im letzten Buch der Bibel vorausgesagt (Offenbarung, Kapitel 16, 1).[93]

Als ihn die Nachricht erreicht, daß am 18. Oktober 1529 die Belagerung von Wien aufgehoben wurde, betrachtet er das nicht als Gegenbeweis, sondern als Gnadenfrist. Die Zeit läuft aus, die Teufel wüten, wie zu erwarten in den letzten Tagen.[94] In seiner Lageanalyse taucht jetzt scheinbar nebenbei eine Erklärung für das Ausmaß der nationalen Gefährdung auf: Deutschland wimmelt von Verrätern, die die Türken unterstützen[95] – ein Verdacht, der in der Sprache der Zeit gemeinhin gegen die Juden gerichtet war. Johannes Pfefferkorn, ›der es wissen konnte‹, bezeugt, daß die Juden das Ende ihres Elends von nichts anderem erwarten, »dann allein durch zerstörung des heiligen Romischen reichs«.[96] Luther aber braucht nicht diesen Verschwörungsverdacht. Juden und Türken sind durch tragfähigere Bande verbunden als durch militärische Taktik und politische Berechnung.

Nachdem im August 1536 Kurfürst Johann Friedrich (1532–1546) ein Ausweisungsmandat gegen die Juden in Sachsen erlassen hatte,[97] sucht Josel von Rosheim, weit über seine elsässische Heimat hinaus als ›regierer gemeiner judischait im reich‹ anerkannt, über Luther zu intervenieren. Den Kontakt stellt der Straßburger Reformator Wolfgang Capito her, als christlicher Hebraist nicht projüdisch eingestellt, aber wie sein Lehrer Reuchlin voller Respekt vor jüdischer Gelehrsamkeit.[98] Mit Luthers Hilfe soll der Kurfürst umgestimmt werden. Des Wittenbergers Ablehnung gegenüber Josel ist oft gewertet worden als die entscheidende Wende zur Judenfeindschaft. Luther betont jedoch, daß er der Überzeugung war und immer noch ist, die Juden sollten »freundlich« behandelt werden, um ihrer Bekehrung durch Gott nichts in den Weg zu legen. Daran hält er bis zum Ende fest, auch wenn sich die Freundlichkeit wendet zur »scharfen Barmherzigkeit«.

Der Judenschutz ist nicht die Aufgabe Luthers, sondern Sache der Obrigkeit, die verantwortlich ist für das Gemeinwohl des Staates. Für sie ist der von Reuchlin her bekannte Rechtssatz einschlägig: Wenn die Juden sich nicht bessern lassen, sind sie zu vertreiben – »reformandi seu expellendi«.[99] Luther sieht die Juden von aller Besserung weit entfernt: Sie sind, durch ihn offenbar ermutigt, »ärger« geworden, sie lästern und fluchen Jesus von Nazareth und halten die Christen für ihre »höchsten Feinde«, so sehr, daß »wenn ihr könntet« alle Christen jetzt »umb alles brächtet, was sie sind, und was sie haben«. Der Angelpunkt der Entscheidung, nicht für die Juden in Sachsen einzutreten, liegt aber in der Analyse, daß sie um Besserung ihrer Lage kämpfen und dennoch um nichts anderes ringen als um ihre Vergangenheit. Nichts wird jedoch das Elend des Exils wenden, es sei denn »Ihr nehmet denn Euern Vettern und Herrn, den lieben gekreuzigten Jesum, mit uns Heiden an«. Luthers Eintreten für die Juden als »Vettern Jesu« darf aber nicht zu ihrer Verhärtung als Gegner Christi führen: »Solchs wollet von mir freundlich annehmen, ... Denn ich umb des gekreuzigten Jüdens willen, den mir niemand nehmen soll, Euch Jüden allen gerne das Beste tun wollte, ausgenommen, daß Ihr meiner Gunst zu Euer Verstokkung brauchen sollt. Das wisset gar eben.«[100]

Drei Tage vor seinem Tode fügt Luther seiner letzten Predigt (15. Februar 1546) *Eine Vermanung wider die Juden* hinzu, in der beide Gesichtspunkte noch einmal gebündelt werden: Die Juden sind unsere öffentlichen Feinde, hören nicht auf, unseren Herrn Christum zu lästern, heißen die Jungfrau Maria eine Hure, Christum ein Hurenkind »und wenn sie uns kondten alle tödten, so theten sie es gerne. Und thuns auch offt«.[101] Dennoch »wollen wir die Christliche liebe an inen uben und vor sie bitten, das sie sich bekeren ...«.[102]

Neu ist ein Drittes: Hatte er im Brief an Josel von

Rosheim den Führer der Juden ermahnt, sich zu bekehren, so ermahnt er jetzt die christliche Obrigkeit, sich nicht auch noch der Judenpräsenz wegen den Zorn Gottes aufzuladen. Geändert hat sich also die befürwortete Judenpolitik, nicht aber die Judenschau in der Verkettung ›Juden, Papst und Türken‹, die drei jetzt entbundenen Schrecken der Endzeit. Ihr, christliche Obrigkeit, solltet »euch frembder sünde nicht teilhafftig machen, Ir habt gnugsam Gott zu bitten, das er euch gnedig sey und euer Regiment erhalte …«. Die Juden sollten sich bekehren, »wo aber nicht, so sollen wir sie auch bey uns nicht dulden noch leiden«.[103] Das ist kein Aufruf an den Pöbel, sich an den Juden zu vergreifen, sondern unzweideutige Forderung an Obrigkeit, Fürsten und Adel,[104] von ihrer geldgierigen, eigennützigen Judenpolitik abzustehen; ein Thema, das sich bis in die sozialreformerischen vorreformatorischen Flugschriften zurückverfolgen läßt. Das Drängen auf Judentoleranz, allerdings nur Toleranz im Sinne der Koexistenz zum Zweck der Bekehrung, ist bis zum Lebensende beibehalten. Das Nahen der letzten Tage hat aber der Toleranzfrist auch zeitlich die Grenzen eng gezogen.

Die »fremden Sünden«, die eine Obrigkeit nicht tolerieren sollte, beziehen sich gewiß auf angebliche Rechtsverbrechen der Juden,[105] so wie sie von Hieronymus Höltzel[106] am Vorabend der Reformation und später von Johannes Eck im Jahre 1541 erneut kolportiert worden waren.[107] In seiner härtesten Schrift, *Von den Juden und ihren Lügen* (1543), hatte Luther keineswegs die Angst vor kriminellen Vergehen der Juden entkräftet.[108] Die Härte dieser Schrift entspringt aber nicht der Warnung vor möglichen Verbrechen einzelner Personen, sondern ihrer Unnachgiebigkeit gegenüber dem Kollektiv Judentum, den Christen bedrohlich nicht durch Untat, sondern durch Unwahrheit. Hier liegt der Grund, weshalb Luther der Obrigkeit geraten hatte, die Synagogen als Lehrhaus der Lüge zu verbrennen, die rabbinischen Bücher zu konfiszieren oder – falls kein anderes

Mittel hilft – jene Juden, die sich nicht bekehren lassen, sogar auszutreiben.[109] Die jüdische Blasphemie beginnt Wirkung zu zeitigen, deshalb sind Maßnahmen zum Schutz der Christenheit notwendig.

Es gibt aber noch eine andere, für Luther sicher die zentrale Dimension der »fremden Sünde«, nämlich die Christusverleugnung, die gerade nicht allein den Juden eigen ist, sondern die der Endchrist vor allem durch den Papst und seine Kurie bewirkt: »Aber nu verwunder ich mich nicht, weder der Türcken noch der Jüden blindheit, hertigkeit, bosheit. Weil ich solchs mus sehen in den aller heiligsten Vätern der Kirchen, Bapst, Cardinal, Bischoven. O du schrecklicher zorn und unbegreifflich gericht der hohen Göttlichen Maiestet …«[110] Diese enge Verknüpfung war schon längst durchschaut, ohne daß Luther zur Austreibung aufgerufen hatte. Beim Nahen des Antichrist bleibt jedoch kein anderer Ausweg, als die letzte Trennung zu vollziehen – aber eben nicht nur von den Juden! Als für den alten Luther die Welttage sich dem Ende zuneigen, geht es nicht um Türkenzug, um Rom- oder Judenhaß, sondern um die Aufrechterhaltung des Evangeliums in den Wirren der Endzeit.

18. Der Jud und die Juden

Das schauderhafte weltgeschichtliche Drama des Verhältnisses von Juden und Christen begegnet uns noch einmal konzentriert in dem Werdegang dieses einzelnen Mannes. Als Reformator ist er »hervorgegangen aus den Juden«, und zwar aus dem Nachsinnen über Israel als Gottesvolk und Christusleugner. In dem Widerstand gegen die Reformation, gegen das neuentdeckte Evangelium, sieht er die hartnäckig durchgehaltene Abkehr von Gott[111] und damit die neu aufbrechende Allianz aller Gott widrigen Mächte. In der Schrift *Von den Juden und ihren Lügen* (1543), noch einmal zusammengefaßt in seiner letzten Vermahnung (1546), bleibt gewiß jene Toleranz, die Raum läßt für Bekehrung. Aber die Naherwartung des letzten Gerichts[112] läßt ihn die »Zeichen der Zeit« so deuten und kalkulieren,[113] daß die Spanne der Toleranz engstens bemessen ist, die allerletzte Chance vor der Ausweisung. Für die politische und soziale Lage der Juden hat Luthers Reformation keine Besserung gebracht.

Dennoch hat Luther auch in seinem letzten Lebensabschnitt nicht jene mittelalterliche Judenschau übernommen, die zur Zeit der beginnenden Reformation ungebrochen aus dem Judenmandat des Bischofs von Speyer (1519)[114] spricht und die im selben Jahr zur Austreibung aus Regensburg und Rothenburg ob der Tauber geführt hat.[115] Luther hat in zweierlei Weise über dieses Mittelalter hinausgeführt. Einmal ist auf die Verarbeitung seiner Anstöße im eigenen Kreis zu achten. Die Reformation darf mit der Gestalt Luthers nicht so identifiziert werden, daß die eigene reformatorische Linie einer Reihe von bedeutenden Lutherschülern übersehen wird. Die Judenperspektive von Justus Jonas und Andreas Osiander ist nicht ausgerichtet auf den Endkampf mit dem Antichrist und seinen Heerscharen.[116] Ihre evangelische Glaubenshoffnung richtet sich auf die gemeinsame Zukunft der endzeitlichen Befreiung von Juden und Christen.[117] Zweitens: Nicht erst im späteren reformatorischen Liedgut eines Paul Gerhard (†1676) oder eines Jakob Revius (†1658) ist eingeprägt worden: »Es sind nicht die Juden, Herr Jesu, die dich kreuzten.«[118] Schon in dem Wittenberger Liedbuch des Jahres 1544 war eine Strophe aufgenommen, die zwar nicht ausdrücklich Luther zugeschrieben, aber von ihm in Schriften und Predigten über die Jahre hinweg so wortnah ausgesprochen ist,[119] daß sie als genuines Luthergut gelten muß:

> Unser grosse sunde und schwere missethat
> Ihesum, den waren Gottes Son, ans Creutz
> geschlagen hat.
> Drumb wir dich armer Juda[s], darzu der Jüden
> schar,
> Nicht feintlich dürffen schelten, die schult ist
> unser zwar [nämlich].[120]

Die alle Zeiten übergreifende Allianz von Juden, Ketzern und »uns argen Christen«[121] hat in der Drangsal der Endzeit Luther zur radikalen Gegnerschaft herausgefordert. Genau diese Geschichtsschau aber war gleichermaßen dazu geeignet,[122] jener Haß einpeitschenden Passionsfrömmigkeit[123] an die Wurzeln zu gehen, die im christlichen Europa die Karwoche für Juden jahrhundertelang zur besonderen Schreckenszeit gemacht hat.[124]

Die Solidarität in der Sünde von »uns argen Christen« mit den Juden verliert dann aber ihre Buß- und Reformkraft, wenn ›Reformation‹ verstanden wird als *vollzogene* Ausleitung aus der babylonischen Gefangenschaft. Dieser protestantische Triumphalismus läßt nämlich Häretiker, Papisten, Juden und »uns arge Christen« als bewältigte Vergangenheit zurück. Dann ist die ›Judensonde‹, das prophetische Meßinstrument im Dienste des reformatorischen Kampfes für die Kirche im Aufbruch zum Ende, nicht mehr gefeit, für eine rassistische Endlösung vereinnahmt zu werden. Martin Luther hat an den Juden die Koalitionsfähigkeit der Christen mit dem Urbösen, Feind von Himmel und Erde, entlarvt. Die Beseitigung dieser schockierenden Christensicht führte zur vernichtenden Judenschau. Nur bei einer Verdrängung dieser theologischen Grundstruktur kann der bei Luther – wie im christlichen Glauben überhaupt – angelegte Antijudaismus zum Spielball des neuzeitlichen Antisemitismus werden. Das ist geschehen.

Anmerkungen zu Teil III

1) Siehe z.B. William L. Shirer, *Aufstieg und Fall des Dritten Reichs,* Köln 1961, 232. In der deutschen Übersetzung ist bezeichnenderweise der folgende Passus ganz weggelassen: »It is difficult to understand the behavior of most German Protestants in the first Nazi years unless one is aware of two things: their history and the influence of Martin Luther. The great founder of Protestantism was both a passionate anti-Semite and a ferocious believer in absolute obedience to political authority. He wanted Germany rid of the Jews and when they were sent away he advised that they be deprived of 'all their cash and jewels and silver and gold' and, furthermore, 'that their synagogues or schools be set on fire, that their houses be broken up and destroyed ... and they be put under a roof or stable, like the gypsies ... in misery and captivity as they incessantly lament and complain to God about us' ... Luther employed a coarseness and brutality of language unequaled in German history until the Nazi time.« *The Rise and Fall of the Third Reich. A History of Nazi Germany,* New York 1960, 236. Karlheinz Deschner zeigt ein Jahr später noch weniger Zurückhaltung: »... in späteren Jahren wurde Luther ein rabiater Antisemit ..., und Hitler brachte dann den Antijudaismus zur letzten Entfaltung.« *Abermals krähte der Hahn. Eine Demaskierung des Christentums von den Evangelisten bis zu den Faschisten,* 3. Aufl. Hamburg 1972 (1. Aufl. 1962), 457f. Wie spekulativ und wohl gar der Nazipropaganda verpflichtet diese Losung ist, zeigt die Klage aus eben jenem Lager über die Luther-Vergessenheit: »Es ist ein unerträglicher Zustand, daß dieses wichtige und heute noch vollauf gültige völkisch-religiöse Bekenntnis *[Von den Juden und ihren Lügen]* des großen deutschen Reformators bei fast allen Deutschen höchstens dem Namen nach bekannt und nur von wenigen gelesen ist.« *Luthers Kampfschriften gegen das Judentum,* hg. von W. Linden, Berlin 1936, 7.

2) Yosef Hayim Yerushalmi, *The Lisbon Massacre of 1506 and the Royal Image in the Shebet Yehudah,* Cincinnati 1976, 6–34. Siehe weiter den jetzt ins Deutsche über-

setzten zweiten Band der *Geschichte des jüdischen Volkes: Vom 7. bis zum 17. Jahrhundert. Das Mittelalter,* hg. von H. H. Ben-Sasson, München 1979, bes. 276–332.

3) »Sed magis credendum foret exordium calamitatis eorum fuisse magnam et infinitam peccuniam eorum, quam barones cum militibus, cives cum rusticis ipsis solvere tenebantur. Deo autem gratias semper, qui civitatem Erffurdensem populumque Christianum ibidem inter tot incendia tantaque homicidia sua pia misericordia custodivit.« *Erphurdianus Antiquitatum Variloquus, Incerti Auctoris, nebst einem Anhange historischer Notizen über den Bauernkrieg in und um Erfurt i.J. 1525,* bearb. von R. Thiele, Geschichtsquellen der Provinz Sachsen und angrenzender Gebiete 42, Halle 1906, 133.

4) Siehe Phillip N. Bepp, »Jewish Policy in Sixteenth Century Nürnberg«, in: *Occasional Papers of the American Society for Reformation Research* 1 (1977), 125–136; bes. 132f. Vgl. Helmut Veitshans, *Die Judensiedlungen der schwäbischen Reichsstädte und der württembergischen Landstädte im Mittelalter,* Arbeiten zum historischen Atlas von Südwestdeutschland 5, Stuttgart 1970, 12–43, 38.

5) Siehe Ludwig Reyscher, *Vollständig historische und kritisch bearbeitete Sammlung der württembergischen Gesetze,* Bd. 4, Tübingen 1831, 60–65.

6) »Quocirca officii nostri esse visum est tante hominum seu potius canum perversitati quocumquemodo resistere …« Georg, Herzog von Bayern (1486–1529) und Bischof von Speyer (1515–1529), *Mandat gegen die Juden,* Hagenau (Heinrich Gran), 4. April 1519, Universitätsbibliothek Tübingen, Signatur: Gb 599.2°.

7) Siehe die Literatur, angeführt in der Einleitung von Ernst-Wilhelm Kohls zu der Edition von Martin Bucers ›Ratschlag, ob christlicher Oberkait gebüren müge, das sye die Juden undter den Christen zu wonen gedulden, und wa sye zu gedulden, wölcher gstalt und maß‹ (1538/ 1539), in: *Martin Bucers Deutsche Schriften,* hg. von R. Stupperich, Bd. 7, Gütersloh 1964, 321, Anm. 3. Besonders hervorzuheben ist der Aufsatz von Wilhelm Maurer, »Martin Butzer und die Judenfrage in Hessen«, in: *Zeitschrift des Vereins für hessische Geschichte und Landeskunde* 64 (1953), 29–43, und seine allgemeine, historische Übersicht: *Kirche und Synagoge. Motive und Formen der Auseinandersetzung der Kirche mit dem Judentum im Laufe der Geschichte,* Stuttgart 1953. Vgl.

Carl August Hugo Burkhardt, »Die Judenverfolgung im Kurfürstentum Sachsen«, *Theologische Studien und Kritiken* 70 (1897), 593–598; 597.

8) Für die judaisierende »Ansteckungswelle« in den dreißiger Jahren siehe das Schreiben des Königs Sigismund von Polen an den Senat von Litauen vom 10. Juli 1539: »Wir tuen kund Eueren Liebden mit diesem unseren Briefe, daß ... gewisse Leute christlichen Glaubens in diesem unserem Reiche, der Krone Polen, aus der Stadt Krakau und anderen Städten der Krone (d. h. Polens), zum jüdischen Glauben übergetreten waren und die Beschneidung angenommen hätten.« E. Zivier, »Jüdische Bekehrungsversuche im 16. Jahrhundert«, in: *Beiträge zur Geschichte der deutschen Juden,* Festschrift Martin Philippsons, Leipzig 1916, 96–113; 102. Vgl. Anm. 87.

9) Zu Hieronymus Höltzel siehe die Angaben bei Alfred Götze, *Die hochdeutschen Drucker der Reformationszeit,* Straßburg 1905, Nachdruck Berlin 1963, 35; Josef Benzing, *Die Buchdrucker des 16. und 17. Jahrhunderts im Deutschen Sprachgebiet,* Wiesbaden 1963, 331. Am ausführlichsten ist Karl Schottenloher, »Die Entwickelung der Buchdruckerkunst in Franken bis 1530«, *Neujahrsblätter,* hg. von der Gesellschaft für Fränkische Geschichte 5, Würzburg 1910, 18–32.

10) Mariä Lichtmeß oder Fest der Reinigung Mariens, volkstümliche Bezeichnung für das Fest der Darstellung des Herrn; 2. Februar.

11) Der Begriff ›böser Christ‹ entstammt der Rechtssprache. Ein böser Christ ist derjenige, der sich aus verbrecherischem Trieb an der christlichen Religion vergeht. ›Böse Christen‹ werden mit Tod durch Verbrennen bestraft. Siehe im *Sachsenspiegel* Lib. II, 13 § 7.

12) Bernau, etwa 20 km nordöstlich von Berlin, wurde zu Beginn des 13. Jahrhunderts vom Markgrafen von Brandenburg gegründet.

13) Gemeint ist das Dorf Knoblauch/Osthavelland, etwa 35 km westlich von Berlin, unweit von Eltzin.

14) Ursprünglich zur Eucharistiefeier gehöriger Kelch, der zur Aufbewahrung der konsekrierten Hostien dient; hier ist jedoch das Tabernakel oder Sakramentshäuschen gemeint, das verschließbare Gehäuse im Altarraum, das zur Aufbewahrung des Allerheiligsten dient.

15) Liturgisches Gefäß für die Darstellung der konsekrierten Hostie zur eucharistischen Verehrung in Andacht und Prozession.

16) Staaken, unweit von Spandau; die Wegstrecke zwischen Staaken und Knoblauch beträgt ungefähr 20 km.

17) Gemeint ist wohl die Gegend des Spreewaldes.

18) Stendal im Bezirk Magdeburg, reichste Stadt der Mark Brandenburg bis 1488.

19) Mazzen, das jüdische Passahbrot aus Weizenmehl und Wasser ohne Zusatz von Sauerteig.

20) Osterburg/Altmark im Bezirk Magdeburg, Stadtrecht 1296.

21) Geboren am 21. 2. 1484, gestorben am 2. 7. 1535.

22) Fest der Aposteltrennung.

23) Das ›Grawe Closter zu Berlin‹, ein Franziskanerkloster, erstmals erwähnt 1250, wurde 1540 aufgehoben. Ein Teil der Gebäude diente seit 1574 als Schule, berühmt geworden unter dem späteren Namen ›Gymnasium zum Grauen Kloster‹. Vgl. *Germania Sacra,* Bd. 1.1: *Das Bistum Brandenburg,* Teil 1, Berlin 1929, 371–378 (mit Literaturangaben).

24) Ferdinand Cohrs hat in der wohl bedeutendsten Einführung zu Luthers Judenschriften, zu dem Traktat *Von den letzten Worten Davids* (1543) von einer »zweimaligen Wendung zur Judenfeindschaft« gesprochen – und damit Schule gemacht. *WA* 54. 16–24; 23 f. Selma Stern-Taeubler spricht sogar von Luthers Schwanken zwischen Liebe und Haß: »Die Vorstellung vom Juden und vom Judentum in der Ideologie der Reformationszeit«, in: *Essays presented to Leo Baeck on the Occasion of his Eightieth Birthday,* London 1954, 194–211; 202. Auf die weitere Aufführung von Sekundärliteratur muß hier verzichtet werden; ich verweise auf die umfassende Arbeit von Johannes Brosseder samt der dort aufgeführten Literatur: *Luthers Stellung zu den Juden im Spiegel seiner Interpreten. Interpretation und Rezeption von Luthers Schriften und Äußerungen zum Judentum im 19. und 20. Jahrhundert vor allem im deutschsprachigen Raum,* München 1972. C. Bernd Sucher konnte aus seiner potentiell ergiebigen, germanistischen Perspektive keine neuen Gesichtspunkte zur Geltung bringen: *Luthers Stellung zu den Juden. Eine Interpretation aus germanistischer Sicht,* Nieuwkoop 1977. In neueren Literaturverzeichnissen wird ein bedeutender Aufsatz übergangen: Joachim Rogge, »Luthers Stellung zu den Juden«, *Luther* 40 (1969), 13–24.

25) *Wider die Sabbather an einen guten Freund* (1538), *WA* 50. 312–337; *Von den Juden und ihren Lügen* (1543), *WA* 53. 417–552; *Vom Schem Hamphoras und vom*

Geschlecht Christi (1543), *WA* 53. 579–648; *Von den letzten Worten Davids* (1543), *WA* 54. 28–100.

26) So Alfred Falb, *Luther und die Juden. Deutschlands führende Männer und das Judentum,* Bd. 4, München 1921. Falb grenzt scharf eine erste Periode »als Judenfreund« (vor und im Jahre 1523) ab von der Restperiode »als Judengegener«; *ibid.,* 11–28; 29–73. Dieser Ansatz bestimmt auch den Aufruf von Martin Sasse: »In dieser Stunde muß die Stimme des Mannes gehört werden, der als der Deutschen Prophet im 16. Jahrhundert aus Unkenntnis einst als Freund der Juden begann, der, getrieben von seinem Gewissen, getrieben von den Erfahrungen und der Wirklichkeit, der größte Antisemit seiner Zeit geworden ist, der Warner seines Volkes wider die Juden.« *Martin Luther über die Juden: Weg mit ihnen!,* hg. von M. Sasse, Freiburg i. B. 1938, 2. Auch in der jüngsten Forschung gibt es Beispiele für die Isolierung der thematischen Spätschriften als Basis einer Gesamtbeurteilung. So Peter Maser, »Luthers Schriftauslegung im Traktat. ›Von den Juden und ihren Lügen‹ (1543). Ein Beitrag zum ›christologischen Antisemitismus‹ des Reformators«, *Judaica* 29 (1973), 71–84, 149–167. Vgl. bereits Otto Clemen in der Einleitung zu Brief Nr. 3157, *WABr* 8. 89.

27) Paul J. Reiter beobachtet für die Jahre nach 1540 ein »Gefühl der Altersschwäche« bis zur »depressiven, pessimistischen Bitterkeit«, die Wiederbelebung der »Dämonomanie« und eine »Vorliebe für nicht ganz [!] stubenreine Ausdrücke«. In den späten Judenschriften begegnet einem »selbst im Verhältnis zu dem, was man sonst von ihm gewohnt ist, auffälligen Schwelgen in vulgären und schmutzigen Ausdrücken«. *Martin Luthers Umwelt, Charakter und Psychose sowie die Bedeutung dieser Faktoren für seine Entwicklung und Lehre. Eine historisch-psychiatrische Studie,* Bd. 2: *Luthers Persönlichkeit, Seelenleben und Krankheiten,* Kopenhagen 1941, 205–220; 210.

28) Auch für die spätere Abendmahlslehre Luthers ist diese Lösung angeboten worden. Siehe meine Widerrede, in: *Werden und Wertung der Reformation. Vom Wegestreit zum Glaubenskampf,* 2. Aufl. Tübingen 1979, 368 f.

29) C. B. Sucher macht die Ausgrenzung wenigstens explizit und geradezu zum Programm: *Luthers Stellung zu den Juden,* 292. Aus seinen einzelnen kritischen Äußerungen geht hervor, daß er sich besonders ab-

setzen möchte von Wilhelm Maurer, dessen kirchen-
historischer Längsschnitt ›in theologicis‹ jedoch eine
ebenso zuverlässige Einführung bringt wie Reinhold
Lewin in der Darbietung des Luthermaterials: Maurer,
Kirche und Synagoge (wie Anm. 7); Lewin, *Luthers Stellung zu den Juden. Ein Beitrag zur Geschichte der Juden
in Deutschland während des Reformationszeitalters,*
Neue Studien zur Geschichte der Theologie und der
Kirche 10, Berlin 1911, Nachdruck Aalen 1973.

30) »Ich glaub, das niemant kan selig werden, der nit ynn
   dißer gemeyne erffunden wirt, eyntrechtlich mit yhr
   haltend, in eynem glauben, wort, sacramenten, hoffnung und lieb, und keyn Jude, Ketzer, Heyd oder sunder
   mit yhr selig werde, es sey dan das er sich mit yhr vor-
   sune, voreynige und yhr gleychformig werde in allen
   dingen.« *Eyn kurcz form der zcehen gepott. D. M. L. Eyn
   kurcz form des Glaubens. Eyn kurcz form deß Vatter
   vnszers, WA* 7. 219, 6-10.

31) In dem Bekenntnis, mit dem Luther seine große Abend-
   mahlsschrift abgeschlossen hat (1528), sind die Juden
   nicht eigens benannt: »Denn das Bapstum gewislich
   das recht Endchristisschs regiment odder die rechte
   Widderchristissche tyranney ist, die ym tempel Gottes
   sitzt und regiert mit menschen gebot, wie Matth. 24.
   [,24] Christus und 2. Tessa. 2. [,4] Paulus verkündigen.
   Wie wol auch daneben der Türcke und alle ketzerey,
   wo sie sind, auch zu solchem grewel gehören, so ynn
   der heiligen stete zu stehen geweissagt ist, aber dem
   Bapstum nicht gleich.« *WA* 26. 506, 40–507, 6. Die
   Erklärung für diese ›omissio‹ ist wohl darin zu suchen,
   daß an dieser Stelle das Papsttum hervorgehoben wird:
   Gemäß spätmittelalterlicher Antichristvorstellungen
   werden die Juden allererst sich dem Antichrist als »sein
   Volk« anschließen. Siehe Christoph Peter Burger, »Endzeiterwartung im späten Mittelalter«, in: *Der Antichrist
   und Die Fünfzehn Zeichen vor dem Jüngsten Gericht,*
   Hamburg 1979, 18–53; 39, 43. Die früheste Verbindung
   zwischen Türke und Antichrist findet sich in den *Dictata; WA* 55 II 1. 129, 22–25 (Scholion zu Psalm 17, 3).

32) »Darümb scheiden und sondern diese Artickel des
   glaubens uns Christen von allen andern leuten auff
   erden. Denn was ausser der Christenheit ist, es seyen
   Heyden, Türcken, Jüden odder falsche Christen und
   heuchler, ob sie gleich nur einen warhafftigen Gott
   gleuben und anbeten, so wissen sie doch nicht, was
   er gegen yhn gesynnet ist, können sich auch keiner

liebe noch guts zu yhm versehen, darümb sie ynn ewigen zorn und verdamnis bleiben. Denn sie den HERRN Christum nicht haben, dazu mit keinen gaben durch den Heiligen geist erleuchtet und begnadet sind.« *WA* 30 I. 192, 9–16.

33) *WA* 49. 580, 26–37 (Drucklegung der Predigt vom 29. September 1544). Vgl. »Meinstu, ob der Türcke, Bapst, Juden und der gantze böse hauffe der welt und Teuffel, seiner gnaden nicht wollen, sondern da wider toben, sie werden drumb seiner gewalt entgehen? Das werden sie wol erfaren.« *WA* 54. 37, 33–36; 1543. Eben im Kontext des Glaubensbekenntnisses vom Jahre 1537 (Druck 1538) kündigt Luther zum ersten Male seinen Plan an, »unsern glauben gegen der Jüden thorheit zu halten, ob etliche unter inen mochten gewonnen werden«. *WA* 50. 280, 9 f.

34) Vgl. *WA* 4. 345, 11–19 (Scholion zu Psalm 118, 79; 1514/15).

35) Siehe Scott H. Hendrix, *Ecclesia in Via. Ecclesiological Developments in the Medieval Psalms Exegesis and the Dictata super psalterium (1513–1515) of Martin Luther,* Leiden 1974, 249–256.

36) »Iudei enim semper sibi impunitatem presumebant, ut patet in multis prophetis, ubi dixerunt ›pax pax‹, et non est pax: ›Non veniet super nos malum‹. Sicut autem hoc de Iudeis dicitur, ita de Hereticis etc. Quia, ut sepius supra dictum est: [Canon] Quicquid de Iudeis dicitur ad literam, hoc allegorice percutit Iudeos et omnes superbos Christianos, tropologice autem carnales motus et vitia et peccata.« *WA* 3. 177, 25–30 (Scholion zu Psalm 31, 10; ca. 1513).

37) Augustin, *Enarrationes in Psalmos,* Psalm 52, 4; *Corpus Christianorum* 39. 640, 4–13.

38) Siehe Bernhard Blumenkranz, *Les Auteurs chrétiens latins du moyen âge sur les juifs et le judaisme,* Paris 1963, 216. Vgl. *WA* 55 I 1. 60, 37–61, 4; Anm. zu Psalm 8, 3; weiter Ulrich Mauser, *Der junge Luther und die Häresie,* Gütersloh 1968, 33–49; 46.

39) »Et quidem Iudei tempore Christi et Apostolorum hoc primo fecerunt. Deinde Heretici. Tertio nos miseri pessimi Christiani.« *WA* 3. 564, 31 f. (Scholion zu Psalm 77).

40) Vgl. *WA* 3. 563, 31–564, 16.

41) Augustin, *Enarrationes in Psalmos,* Psalm 9, 27; *Corpus Christianorum* 38. 70, 5–11. Vgl. *WA* 55 I 1. 67, 22–29; Anm. zu Psalm 9, 4.

42) *S. Bernardi Opera,* Rom 1957ff., Bd. 1, 244, 6–25. Siehe meinen Beitrag: »The Shape of Late Medieval Thought: The Birthpangs of the Modern Era«, *Archiv für Reformationsgeschichte* 64 (1973), 13–33, 24f., Anm. 20.

43) Für die Einzelanalyse der *Dictata* mit detaillierten Stellenangaben siehe meinen Beitrag: »Die Juden: Ahnen und Geahndete«, in: *Leben und Werk Martin Luthers von 1526 bis 1546. Festgabe zu seinem 500. Geburtstag,* im Auftrag des Theologischen Arbeitskreises für Reformationsgeschichtliche Forschung hg. von H. Junghans, Berlin 1983.

44) *WA* 3. 181, 16 (Scholion zu Psalm 32, 1).

45) *WA* 3. 203, 4–6; 13–15.

46) *WA* 55 II 1. 3, 2–10 (Scholion zu Psalm 1, 1).

47) *WA* 4. 7, 28–30 (Scholion zu Psalm 84, 5). Die Fortsetzung findet sich im Scholion zu Römer 10, 14: Die Juden, Häretiker und Schismatiker können Gott nicht anrufen, solange sie nicht durch die wirksame Verkündigung befreit werden. *WA* 56. 422, 7–9.

48) *WA* 56. 436, 7–20; 16f. (Scholion zu Römer 11, 22). Vgl. Luthers Gutachten über die Reuchlin-Sache vom 5. August 1514; *WABr* 1. Nr. 9.

49) Zu diesem Thema siehe bes. Joseph Vercruysse, *Fidelis Populus,* Wiesbaden 1968, 39–51.

50) *WA* 55 II 1. 69, 8–11 (Scholion zu Psalm 4,3); *WA* 3. 501, 31f. (Scholion zu Psalm 73, 9); *WA* 4. 315, 20–25 (Scholion zu Psalm 118, 20).

51) Wie Bernhard Blumenkranz gezeigt hat, ist dieser »Dienst der Juden« als Zeugnis ein Sonderthema Augustins, das im Mittelalter verdrängt wurde. *Die Judenpredigt Augustins. Ein Beitrag zur Geschichte der jüdisch-christlichen Beziehungen in den ersten Jahrhunderten,* Basel 1946, 175–181. Das Gesamtbild Augustins ist hier aber zu schonend gezeichnet.

52) *WA* 3. 568, 10f. (Scholion zu Psalm 77, 9).

53) *WA* 5. 363, 13–16 (Psalm 11, 6).

54) *WA* 10 I 1. 481, 11; *Kirchenpostille* 1522.

55) »... plus quam Babylonica captivitas«, *WA* 2. 215, 2 (1519); »ut Babylone ipsa confusior sit hodierna ecclesia«, *ibid.,* 226, 22. Vgl. *Archiv zur Weimarer Lutherausgabe (= AWA)* Bd. 2, Köln 1981, 600, 6–18 (Psalm 9b, 9); *WA* 5. 343, 4–17. Von Lyra her war Luther die Deutung von Psalm 73 auf die ›captivitas babylonica‹ geläufig. Die Freilegung der ›syncera scripturae intelligentia‹ in *De Captivitate Babylonica* (1520) entspricht hier bereits der Verstellung der Schrift: *WA* 3. 492, 17; vgl. *WA* 6. 572, 35f.

56) »Nemo, donec ipse dominus convertat captivitatem plebis suae ...«. *WA* 5. 428, 21–25.

57) *WA* 2. 429, 9–12 (Psalm 13/14, 7).

58) *WA* 5. 429, 1.

59) *WA* 56. 274, 14 (Scholion zu Römer 4, 7).

60) Auf deutsch bezeichnet Luther die schriftwidrigen Theologen seiner Zeit als »Sautheologen« in seiner lateinisch gehaltenen Vorlesung über den Römerbrief (1516); *WA* 56. 274, 14.

61) Weimarer Lutherausgabe, Deutsche Bibel 7. 17, 20–29 (1546).

62) *WA* 57. 87, 21–24 (Glosse zu Römer 9, 28f.). Vgl. *WA* 56. 95, 25f.

63) *AWA* 2. 230, 27–231, 2 (Psalm 5, 4f.); *WA* 5. 131, 23–29.

64) *AWA* 2. 103, 3–7 (Psalm 2, 9); *WA* 5. 66, 38–67, 4. Vgl. *WA* 7. 486, 6–16 (1521).

65) So lautet – seit R. Lewin, *Luthers Stellung zu den Juden* (wie Anm. 29), 15ff. – die gängige Erklärung. Damit möchte ich das Faktum solcher Begegnungen nicht bestreiten. Das Interesse an Luther ist gut belegt. Hayim Hillel Ben-Sasson hat in einer eminenten Untersuchung die Hoffnungen auf das Ende des ›Elends‹ dokumentiert, die in der jüdischen Gemeinschaft mit dem Auftreten Luthers verbunden wurden: »The Reformation in Contemporary Jewish Eyes«, in: *Proceedings of the Israel Academy of Sciences and Humanities,* Bd. 4, Jerusalem 1971, 239–326; 264–271.

66) *WA* 7. 600, 34. Im Jahre 1523 wird dieser Gedanke thematisiert in der Schrift *Daß Jesus Christus ein geborner Jude sei; WA* 11. 314–336. In einer Predigt vom 25. September 1538 klingt dieselbe Anklage auf; sie ist aber bereits deutlich auch gegen die Juden gerichtet: »Wenn wir einen Juden getaufft haben, so meineten wir, das wir ihme alles genommen hetten. Darnach legte man ihme auff, das ehr gehn [er nach] Rom gehen sollte und bussen für seine sunde. Man lernet [lehrt] ihnen nicht recht verstehen das vater unser oder unsern Catechismum. Nun hat der Jude das Gesetz Mosi verlassen, kompt hiehehr und kriegt das Evangelium auch nicht. Dortt hat ehr einen Gaul, hie einen Gorren [schlechtes Pferd, Schindmähre]. Den ehr findet nicht die warhafftige lehre von dem glauben an Christum, hat auch nicht rechtschaffene prediger. Also zogen die Juden von den abgöttereien die Heiden ab und fureten sie [Judengenossen] auff ein anders, das sie erdacht hatten mit ihren menschengebotten, nemlich das sie opfern solt-

ten, wie wir drunden hören werden.« *WA* 47. 470, 40–471, 7.

67) *AWA* 2. 62, 13–63, 2 (Psalm 1, 6); *WA* 5. 46, 20–23.
68) *AWA* 2. 96, 17–97, 3 (Psalm 2, 9); *WA* 5. 63, 17–20.
69) In diesem Sinne möchte ich James S. Preus' These beantworten, dergemäß Luther im Jahre 1522 »willkürlich« verwarf, was er dann Ende 1523 selbst einführte: »The reality at Wittenberg was that the law became incarnated in Luther, himself functioning freely.« *Carlstadt's Ordinaciones and Luther's Liberty: A Study of the Wittenberg Movement 1521–22,* Cambridge, Mass. 1974, 80.
70) *WA* 51. 196, 16f.; vgl. *WA* 53. 530, 25–28; 31f.
71) *WA* 45. 615, 1–5; angef. von Johannes Heckel, *Lex Charitatis. Eine juristische Untersuchung über das Recht in der Theologie Martin Luthers,* hg. von Martin Heckel, 2. Aufl. Köln 1973, 146, Anm. 765 c.
72) »Ego succedo nunc in haereditate nominis, ut senior sim fere Lutherus in mea familia.« *WABr* 5. 351, 29f.; 5. Juni 1530. Noch vor Öffnung der neuen Postsendung mit dem Todesbericht – »Elend, der bote wolt nicht harren« – schreibt er ›Katherin Lutherin‹, daß die ihm zugeschickte Brille furchtbar schlecht gemacht ist: »Ich kund nicht ein stich dadurch sehen.« *Ibid.,* 348, 15f. Vgl. bereits am 12. Mai: »Es [mein Kopf] wills nicht mehr tun, sehe ich wohl, die Jahr treten herzu.« *Ibid.,* 316, 16f.
73) *WABr* 5. 351, 30f. Ein Jahr später bereits stirbt auch seine Mutter ›Hanna‹; siehe den letzten Trostbrief, *WABr* 6. Nr. 1820 (20. Mai 1531).
74) Im Jahre 1521 läßt Luther die *Adventspostille* als »Probelauf« herausgehen, um die Chance der ›Entbabylonisierung‹ der Kirche wahrzunehmen und zu ermessen, »wie die Christen das Evangelium aufnehmen werden nach einer so langen und harten babylonischen Gefangenschaft«. *WA* 7. 537, 13f.
75) *WA* 40 I. 131, 3f.; 1531. Druck 1535; *ibid.,* 21–24; *WA* 40 II. 92, 5f. Vgl. *WAT* 2. Nr. 2241 und Nr. 2255 (1531); Nr. 1820 und 2797 (1532).
76) *WA* 38. 195, 17–22; 1533. Siehe meinen Beitrag »Dichtung und Wahrheit. Das Wesen der Reformation aus der Sicht der Confutatio«, in: *Confessio Augustana und Confutatio. Der Augsburger Reichstag 1530 und die Einheit der Kirche,* hg. von E. Iserloh, Münster i. W. 1980, 217–231; 228f.
77) Das letzte Zögern Luthers – in wachsender Sorge seit

Ende 1518 *(WABr* 1. 282, 17–22) – ist m. E. belegt in einem Brief an Spalatin vom 24. Februar 1520 unter dem Eindruck der soeben gelesenen Schrift des Laurentius Valla über die Konstantinische Schenkung (mit Widmung von Hutten, 1520); *WABr* 2. 48, 26 f. Während Luther seine Antichrist-Deutung auf den Papst von Anfang an biblisch begründet (siehe *WABr* 1. 270, 12 f.; 2. Thessalonicher 2,4), zeigt er hier auf jenen Antichrist, ›quem vulgata opinione‹ die Welt erwartet. Für eine zuverlässige Analyse der Entwicklung von Luthers Papstbild siehe Scott H. Hendrix, *Luther and the Papacy. Stages in a Reformation Conflict,* Philadelphia 1981.

78) *WA* 54. 206–299 (1545).

79) *WA* 54. 361–373 (1545), 363 und Anhang Bild 9. Vgl. dazu auch Luthers Parodie des Benedicite, Gratias, Vaterunser und Ave Maria auf den Papst, *WA* 60. 177–179 (1546).

80) *WA* 30 II. 116, 16 f. (1528); angef. von Helmut Lamparter, *Luthers Stellung zum Türkenkrieg,* München 1940, 20. Genauso wie Luther in der Frühphase der Reformation die Juden »relativ« zu verteidigen bereit ist, heißt es in einem Gutachten vom 15. Dezember 1518 an Spalatin über die Türken: »Ich denke, es beweisen zu können: Rom heute ist schlimmer als die Türken.« *WABr* 1. 270, 13 f. Überhaupt ist dieses Türkengutachten das Seitenstück zu der Judenschrift vom Jahre 1523. Siehe weiter Harvey Buchanan, »Luther and the Turks 1519–1529«, *Archiv für Reformationsgeschichte* 47 (1956), 145–160. Für die Deutung der Türken als »Werkzeug Gottes« in der Apokalyptik des 16. Jahrhunderts siehe Klaus Deppermann, *Melchior Hoffman. Soziale Unruhen und apokalyptische Visionen im Zeitalter der Reformation,* Göttingen 1979, 183, 186.

81) Für das Bündnis mit ›Gog‹ und damit dem Antichrist ist der getaufte Jude ›Johannes Gratia Dei‹ zu beachten: Es ist absolut klar, daß dieser ›Gog‹ derjenige ist, den Christen als ›Antichrist‹ bezeichnen – die Mehrzahl von euch, ihr unbekehrten Juden, läuft ihm nach in der Meinung, er sei der Messias, auf den ihr vergeblich wartet. – »… non dubitatur quin ipse [Gog] sit, quem Christiani ›Antichristum‹ appellant, qui a maiori parte vestrum [ihr unbekehrten Juden] sequetur putantes ipsum esse Messiam, quem frustra expectatis.« *Liber de confutatione hebrayce secte,* Rom 1500, fol. 78^V. Die Verbindung mit den Türken ist dadurch gegeben, daß die endzeitliche Rückkehr der Juden nach Jerusalem

176

durch Türkenland erfolgen muß. Die »roten Juden«, 500.000 bis 600.000 an der Zahl, sollten im Jahre 1523 aus Afrika kommend in Ägypten eingetroffen sein, nur noch dreißig Tagereisen von Jerusalem entfernt. So lautet die Nachricht, die Otto Clemen abgedruckt hat in: *Flugschriften aus den ersten Jahren der Reformation,* Bd. 1, Halle 1906/07, Nachdruck Nieuwkoop 1967, 442-444.

82) Siehe bereits Luthers Brief an Wenzeslaus Link (7. März 1529) und an Nikolaus Hausmann (26. Oktober 1529); *WABr* 5. 28, 22 f.; 166, 13 f.

83) *WA* 30 II. 225, 17 (1530). Vgl. *WADB* 7. 416, 3-6. Im April 1529 hatte Luther in seiner großen Schrift *Vom Kriege gegen die Türken* geschlossen: »... wie der Bapst der Endechrist, so ist der Turck der leibhafftige Teuffel ... Summa wie gesagt ist: Wo der lügengeist regirt, da ist der mordgeist auch bey ...« *WA* 30 II. 126, 1-7. Die Zusammenschau von Türken und Antichrist findet sich bereits in der 1. Psalmenauslegung *(WA* 3. 505, 26) - selbstverständlich wiederum im Kontext von Juden und Irrlehrern. Vgl. die Einstufung mit Türken und Papisten über Tisch 1532/1533; *WAT* 3. Nr. 2863.

84) *WABr* 5. 285, 7-10; 24. April 1530.

85) *WAT* 1. 135, 15 f. (Nr. 330); angef. von Ulrich Asendorf, *Eschatologie bei Luther,* Göttingen 1967, 205.

86) *Von der Wiedertaufe an zwei Pfarrherrn* (Anfang 1528); *WA* 26. 170, 30-171, 2. Die, anders als im Alten Bund, den Sakramenten des Neuen Bundes innewohnende Heilseffizienz ist ein festgefügtes Thema der scholastischen Theologie, das, anfangs gegen Luther eingesetzt, ebenfalls in der antijüdischen Polemik zum Tragen gebracht wurde. Siehe die hochinteressante »Dogmatik« des bekehrten Juden Hadrianus Finus, *In Iudaeos flagellum ex sacris scriptis excerptum,* ca. 1520 in Ferrara verfaßt, aber erst im Jahr 1538 in Venedig von seinem Sohn Daniel herausgegeben; bes. pars IV, cap. 8, concl. 4-10, fol. 117^v-120^r.

87) *WA* 50. 309. Siehe auch Erasmus' Berichte aus den Jahren 1533 und 1535: »Nunc audimus apud Bohemos exoriri novum Judaeorum genus, Sabbatarios appelant, ...« *De amabili* [Allen: *Liber de sarcienda*] *Ecclesiae concordia* mit Widmungsschreiben an Julius Pflug vom 31. Juli 1533. Erasmus, *Opera omnia,* Bd. 5, Leiden 1704, Sp. 505D-506A. Vgl. »Dicuntur et hodie repullulascere Sabbatarii, qui septimi diei otium incredibili superstitione observant.« ›Ecclesiastae, sive de ratione con-

cionandi‹ Lib. III, mit Widmungsschreiben an Christoph von Stadion vom 6. August 1535; *ibid.,* Sp. 1038B. George H. Williams hat die ›Sabbatarii‹ in den Kontext einer umfassenden »Judaisierungsbewegung« gestellt, »die im späten 15. Jahrhundert die ganze Christenheit ergriffen hatte«, mit einem wichtigen Zentrum in Novgorod in den Jahren 1470–1516 und Litauen seit etwa 1530. »Protestants in the Ukraine During the Period of the Polish-Lithuanian Commonwealth«, *Harvard Ukrainian Studies* 2 (1978), 41–72; 46. Williams charakterisiert die Sabbatarier als den extremen Flügel dieser paneuropäischen Bewegung, und zwar als diejenigen, »who were virtually converts to Judaism«. S. 47. Möglicherweise hat König Sigismund somit weniger »unorthodoxe« Einflüsse aus Deutschland (Preußen) als aus der Ukraine und Litauen abwehren wollen. Vgl. Anm. 8; für Luther siehe auch Anm. 66.

88) Vgl. E. Zivier, *Jüdische Bekehrungsversuche im 16. Jahrhundert* (wie Anm. 8), 96–113. Obwohl wir an Gewißheit gewinnen, daß die Sabbater in den dreißiger Jahren eine judaisierende Welle von erheblicher Bedeutung verkörperten, ist damit noch nicht die »Sündenbock«-Theorie von Jerome Friedman widerlegt. Die Reaktionen auf die Sabbater sind jedoch nicht grundlos und gewiß nicht zentral von Luther gesteuert: »That Jewry was chosen as the scapegoat to account for that form of Protestant irregularity known as Sabbatarianism was symptomatic of a form of antisemitism endemic in the Christianity of that age which continued to see the Jew as a very powerful agent of destruction and corruption. That Luther was so central to creating these attitudes in Germany is just one more indication of his central importance.« Jerome Friedman, »Sebastian Münster, the Jewish Mission, and Protestant Antisemitism«, *Archiv für Reformationsgeschichte* 70 (1979), 238–259; 258; ders., »The Reformation and Jewish Antichristian Polemics«, *Bibliothèque d'Humanisme et Renaissance* 41 (1979), 83–97.

89) *WA* 50. 313, 12–15.

90) *WAT* 1. 427, 6–10; 8 (Nr. 864).

91) *WAT* 1. 427, 9f.

92) Griffig und genau zugleich faßt Heinrich Bornkamm den »modernen Ertrag« der Türkenschriften zusammen: »Luther setzt an die Stelle des Kreuzzugs den eschatologischen Krieg. Darin liegt eine tiefgreifende Verwandlung der Motive.« *Martin Luther in der Mitte*

seines Lebens. Das Jahrzehnt zwischen dem Wormser und dem Augsburger Reichstag, hg. von K. Bornkamm, Göttingen 1979, 519–526, 525.

93) *WABr* 5. 166, 13 f.; an Nikolaus Hausmann, 26. Oktober 1529.

94) *WABr* 5. 175, 12 f.; an Jakob Propst, 10. November 1529.

95) »Germania plena est proditoribus, qui Turcae favent.« *WABr* 5. 175, 7 f.

96) Johannes Pfefferkorn, *Speculum adhortationis Judaice ad Christum,* Köln 1507, fol. C 4^v–D 1^r. Wahrscheinlich wurden nach 1497 mehr spanisch-portugiesische verbannte Juden in der europäischen Türkei aufgenommen als in allen anderen Ländern zusammen. Siehe die Aufstellung bei Wlad. W. Kaplun-Kogan, *Die Wanderbewegungen der Juden,* Bonn 1913, 43. Die Juden beherrschten zudem bald die türkischen Handelsbeziehungen; S. 156, Anm. 56.

97) Siehe C. A. H. Burkhardt, »Die Judenverfolgungen…«, (wie Anm. 7), 596–598.

98) *WABr* 8. 77–78; Wolfgang Capito an Luther, 26. April 1537. Siehe Selma Stern, *Josel von Rosheim. Befehlshaber der Judenschaft im Heiligen Römischen Reich Deutscher Nation,* Stuttgart 1959, 126. Vgl. Raphael Loewe, »Christian Hebraists (1100–1890)«, in: *Encyclopaedia Judaica,* Bd. 8, Jerusalem 1971, 10–72. Siehe vor allem Jerome Friedman, »Sixteenth-Century Christian-Hebraica: Scripture and the Renaissance Myth of the Past«, *Sixteenth Century Journal* 11, 4 (1980), 67–85.

99) Siehe Teil I, S. 68, Anm. 41.

100) *WABr* 8. 90, 1; 46–50; 32 f.; 91, 56–60; an Josel von Rosheim, 11. Juni 1537.

101) *WA* 51. 195, 29–32.

102) *WA* 51. 195, 39 f.

103) *WA* 51. 196, 4–17.

104) *WA* 51. 196, 5.

105) Vgl. die ausführliche Erläuterung in *WA* 53. 527, 15–31.

106) Siehe die ›wunderbarlich geschichte‹, S. 129–133 und in der Beilage, S. 197–200.

107) Vgl. *WA* 53. 482, 12–14; Anm. 6. Der *WA*-Editor verweist hier zwar punktuell auf Eck, aber ein durchgehender Vergleich legt die Vermutung nahe, daß Luther diese Schrift gegen Osiander – von Eck als »Luthersohn« und »Judenvater« gescholten – auf seinem Schreibtisch hatte.

108) Es dürfte auch an Bestechung und Privilegienkauf zu denken sein, wodurch – wie Luther am 9. Februar

1544 klagt – die Juden in der Mark und in Prag »regieren« mit ihrem Geld: *WABr* 10. 526, 8–13. Vgl. den von Agricola in seiner Lebensbeschreibung beklagten Vorwurf Luthers: »Me insimulavit, quod et munus acceperim a Judaeis. Et quod depravatis scripturis defenderem Judaeos.« E. Thiele, »Denkwürdigkeiten aus dem Leben des Johann Agricola von Eisleben. Von ihm selbst aufgezeichnet«, *Theologische Studien und Kritiken* 80 (1907), 246–270; 270 und Anm. 2.

109) *WA* 53. 526, 7–16; 528, 31–34. Vgl. 520, 33–521, 7. Im selben Jahre, 1543, sind noch zwei weitere Judenschriften erschienen: *Vom Schem Hamphoras (WA* 53. 579–648) und – relativ milde – *Von den letzten Worten Davids (WA* 54. 28–100), in denen Luther seine Argumente gegen die rabbinische Schriftauslegung ausbaut, um die Messiaserwartung als Christusverkündigung auszuweisen.

110) *WA* 53. 449, 26–29. Wie gesagt, können auch die Täufer als Repräsentanten der ›haeretici‹ in dieser Kette erscheinen: »Non de ocio cogitandum est, nobis praesertim, qui in Ecclesia docemus. Pugnandum est nobis undique cum diaboli agminibus. Hac nostra aetate quam varios hostes vidimus? Defensores idolorum Papae, Iudaeos, monstra Anabaptistarum multiplicia, Servetos et alios.« Vorrede zu Biblianders Koranausgabe; *WA* 53. 572, 9–12.

111) Es ist die Leistungsreligion, jenes »vernünftige« Prinzip des Gebens und Nehmens, das an Christi Person und Werk vorbei durch eigene Riten, Gesetze und Werke den gnädigen Gott für sich gewinnen will: »Das ist religio Papae, Iudaeorum, Turcarum … ›si sic fecero, erit mihi deus clemens‹.« *WA* 40 I. 603, 6–10; zu Galater 4, 8. Vgl. *WA* 10 I. 465, 4f. (1522); zur Zweinaturenlehre: *WA* 20. 345, 19–37; *WA* 54. 37, 29–38 (1543); zusammenfassend: *WA* 49. 580, 26–37 (Predigt vom 29. September 1544).

112) Zur Reichweite der mittelalterlichen Antichrist-Vorstellung siehe Marjorie Reeves, *The Influence of Prophecy in the later Middle Ages. A Study in Joachimism,* Oxford 1969, bes. 358–374; dies., »Some Popular Prophecies from the Fourteenth to the Seventeenth Centuries«, in: *Studies in Church History,* Bd. 8: *Popular Belief and Practice,* Cambridge 1972, 107–134; bes. 122f. Bernard McGinn, *Visions of the End: Apocalyptic Traditions in the Middle Ages,* New York 1979. Für die allgemeine Verbreitung dieses Schemas in Luthers Zeit siehe jetzt

Gustav Adolf Benrath, *Das Verständnis der Kirchenge-schichte in der Reformationszeit* (im Druck).

113) »Hoc anno (1540) numerus annorum Mundi precise est. 5500. Quare sperandus est finis mundi. Nam sextus Mil-lenarius non complebitur. Sicuti tres dies mortui Christi non sunt completi, ...« *WA* 53. 171, 1-9.

114) Siehe Anm. 6.

115) Siehe Teil II, S. 99-104.

116) Siehe Teil I, S. 59-62.

117) Für England ist die Erforschung dieser Tradition bereits in Angriff genommen worden: Bryan W. Ball, *A Great Expectation. Eschatological Thought in English Protes-tantism to 1660,* Leiden 1975, 146-155. Paul Christian-son, *Reformers and Babylon: English Apocalyptic Visions from the Reformation to the Eve of the Civil War,* Toronto 1978, 210-212. Mel Scult, *Millennial Expectations and Jewish Liberties. A Study of the Efforts to Convert the Jews in Britain, up to the Mid Nineteenth Century,* Leiden 1978, 15-34.

118) Jacobus Revius, *Over-ysselsche sangen en dichten,* hg. von W. A. P. Smit, Amsterdam 1930, 222; vgl. *Pro-testantse poëzie der 16de en 17de eeuw,* hg. von K. Hee-roma, Amsterdam 1940, 179; L. Strengholt, *Bloemen in Gethsemané. Verzamelde studies over de dichter Revius,* Amsterdam 1976, 116-120.

119) Soweit ich sehen kann, das erste Mal in: *Ein Sermon von der Betrachtung des heiligen Leidens Christi,* 1519: »Alßo vill engster soll dir werden, wan du Christus ley-den bedenckst, Dan die ubeltether, die Juden, wie sie nu gott gerichtet und vortrieben hatt, seynd sie doch deyner sunde diener gewest, unnd du bist warhafftig, der durch seyn sunde gott seynen sun erwurget und gecreutziget hatt, wie gesagt ist.« *WA* 2. 138, 29-32. Vgl. *WA* 9. 652, 16-24 (1521); *WA* 28. 233, 1f. (1528).

120) *WA* 35. 576. Vgl. *WAT* 6. 257; Nr. 6897.

121) Siehe Anm. 38.

122) Im 18. Jahrhundert wird die ›Judensonde‹ von Johann Georg Hamann († 1788) völlig im Sinne Luthers auto-biographisch eingesetzt: »Ich erkannte meine eigenen Verbrechen in der Geschichte des jüdischen Volks, ich las [darin] meinen eignen Lebenslauf, und dankte Gott für seine Langmuth mit diesem seinem Volk, weil nichts als ein solches Beyspiel mich zu einer gleichen Hoff-nung berechtigen konnte.« Johann Georg Hamann, *Sämtliche Werke,* hg. von J. Nadler, 6 Bände, Wien 1949-1957, Bd. 2, 40, 25-29; angef. von Oswald Bayer,

»Wer bin ich? Gott als Autor meiner Lebensgeschichte«, *Theologische Beiträge* 11 (1980), 245–261; 254.

123) B. Blumenkranz hat eine interessante, keine Vollständigkeit beanspruchende Zusammenstellung gebracht von Zitaten zur »Alleinschuld« der Juden am Tode Christi: *Les Auteurs chrétiens* (wie Anm. 38), 86 (Nr. 92 f.: Gregor der Große); 134 (Nr. 119g: Beda Venerabilis); 262 (Nr. 226 b: Kardinal Humbert). Vgl. auch die Ergebnisse seiner Untersuchung der Auslegung des Gebetes ›Pro Iudaeis‹ in der Gründonnerstagsoffiz; »Perfidia« *Archivum Latinitatis Medii Aevi,* 22 (1952), 157–170; wiederabgedruckt in: *Juifs et Chrétiens. Patristique et Moyen Age,* London 1977, VII. Der viel gelesene Tübinger Theologe Gabriel Biel († 1495) braucht keinen Autoritätsnachweis für die Überzeugung, daß die Freiwilligkeit des Opfertods Christi die Juden von ihrer Alleinschuld keineswegs entlastet: »… ut voluntarie seipsum pro nobis offerret, non excusat Iudeos ab homicidio, quod fecerunt maliciose; …« Lectio 82 D, *Gabrielis Biel. Canonis Misse expositio,* Bd. 4, hg. von H. A. Oberman, W. J. Courtenay, Wiesbaden 1967, 50, 29 ff.; vgl. Lectio 87 D–F; S. 144, 25 f.; 146, 8. So auch Reuchlin im *Augenspiegel,* Tübingen (Thomas Anshelm) 1511, fol. H 3^v. Luthers Lehrer und Ordensvorgesetzter, Johannes von Staupitz, hat in seinen Passionspredigten aus dem Jahre 1512 die Juden vor allem der Grausamkeit bezichtigt: »O du pöser Jud! Pilatus gibt dir zu erkennen, das dein natur ist herter dann ain swein; das hat erparmung mit seiner natur.« Salzburger Passionspredigten 1512, Predigt X, Salzburg, Klosterbibliothek St. Peter, Signatur: b. V. 8, fol. 39^r; in: Johann von Staupitz, *Sämtliche Schriften,* hg. von Lothar Graf zu Dohna, R. Wetzel, Bd 3: *Deutsche Schriften* I, Berlin 1983. Mit Berufung auf Lukas, Kapitel 23, 25 wird den Juden vorgeworfen, Christus gezielt und willentlich gequält zu haben: »… die Juden haben in allen dingen und in allen peinen dem herrn das hertist auftan und also hertiklich durch hent und füess geschlagen, das alles das erpidemt [= erbebt] ist und erzitert, das an Christo was.« Predigt XI, fol. 47^v; zu Lukas, Kapitel 23, 25 siehe Predigt X, fol. 41^v–43^r. Bereits der Erfurter Augustinermagister Johannes von Paltz († 1511) hat den Juden zur Last gelegt, den Herrn ganz bewußt gefoltert zu haben: »… quidquid erat poenalius et confusibilius, Iudaei in poena Christi elegerunt.« Johannes von Paltz OESA, *Opera,* Bd 1: *Coelifodina,* hg. von C. P. Burger, F. Stasch, Berlin 1982, 50, 28.

124) »Hic est locus, ex quo debemus facere canticum und frolich sein, ut non sic recordemur passionis Christi, quomodo zusingen ›der arm Judas‹, und stechen den Iudaeis die augen aus. ... Yhr habt wol uber euch [Christen] zu weinen, quod estis damnatae et peccatrices. Ideo ipse flet et patitur pro nobis.« *WA* 36. 136, 29–32, 36–137, 2; Predigt vom 24. März 1532.

Epilog

Der steinige Weg
zur Koexistenz

Es war ein langwieriger Prozeß, der Europa allmählich zur Toleranz geführt hat. Die zaghaften Anfänge im 16. Jahrhundert gingen zu Lasten der Juden, besonders in Deutschland. Welche Verbindungslinien lassen sich ziehen von Humanismus und Reformation zum Durchbruch der Toleranz in der Aufklärung? Darf eine der drei tragenden Gestalten als Vorkämpfer und Leitbild in Anspruch genommen werden? War es Reuchlin, der drei klassischen Sprachen mächtig, mit seiner Verteidigung der jüdischen Bürgerrechte; oder Erasmus, der unbestechliche Herausgeber des Neuen Testaments mit seinem Einsatz für Frieden und Eintracht in Kirche und Gesellschaft; oder auch Luther, der furchtlose Prophet eines wahrhaft säkularen Staatswesens, befreit von der Vorherrschaft der Kirche?

Unserer Zeit scheint die Antwort auf der Hand zu liegen; verläuft doch der rote Faden der Humanität »ganz deutlich« von Reuchlin und Erasmus zu Hobbes, Voltaire und Lessing. Niemand hat dies beredter und einleuchtender dargestellt als Peter Gay in seiner großartigen Deutung der Aufklärung. Ein einziges Zitat aus seinem Werk über die Aufklärung – The Enlightenment: An Interpretation – mit dem programmatischen Untertitel ›The Rise of Modern Paganism‹ vermag bereits seine Grundthese zu verdeutlichen und zu belegen. Katholizismus und Protestantismus waren in eine Sackgasse geraten, in der sie sich verfangen hatten und aus der sie aus eigenen Kräften nicht entkommen konnten. Eine echte Alternative – so Peter Gay – bot sich Europa durch eine dritte Kraft: »Die Humanisten hatten den Weg für diese Lösung geebnet. Ihr Wirklichkeitssinn eröffnete eine weltliche Anschauung der Obrigkeit und eine weltliche, zumindest nicht mehr spezifisch christliche Begründung politischen Handelns. Ihre kritische Philologie und ihre Bewunderung der Antike befähigten eine neue Bildungsschicht, christliche Autoritäten, die Heilige Schrift eingeschlossen, mit skeptischem Abstand zu lesen und die vorchristliche, ›pagane‹ Philosophie vorurteilslos zu rezipieren. Ihre Berufung auf die Natur schuf die Voraussetzung für ... eine Betrachtung, die diese Welt nach Naturgesetzen, natürlicher Moral und natürlicher Theologie zu ordnen weiß.«[1]

Die Geschichte der Juden in Europa scheint diesem Befund genau zu entsprechen. Im Zeitalter des Konfessionalismus, vor allem im 17. Jahrhundert, hatten sie keinen Grund zu vermuten, das dunkle Mittelalter liege endlich hinter ihnen. Erst die aufklärerische Durchlöcherung des christlichen Weltbildes führte ihnen die Luft der Freiheit zu. Doch hier sperren sich die Quellen. Sie weisen auf Unstimmigkeiten in jener Linienführung vom Humanismus zur Aufklärung – vorbei an der Reformation. Diese Unstimmigkeiten sind keineswegs Peter Gay anzulasten und mindern nicht den aufklärenden Weitblick seines Werkes. Es handelt sich vielmehr um Konstruktionsfehler in den Fundamenten, auf denen alle Aufklärungsforschung zu bauen hat. Zunächst sind zentrale Gestalten des 16. Jahrhunderts zu neuzeitlich tolerant übermalt. Sogar die herausragenden Träger und Treiber der humanistischen Bewegung, Reuchlin und Erasmus, sind als Aufklärer überfragt und überfordert. Jener setzt sich zwar für Bürgerrechte ein, rechnet aber mit jüdischer Kollektivschuld und hält am Mittel der Austreibung fest. Dieser wirbt wohl für Toleranz unter gebildeten Christen und für Freiheit in Forschung und Lehre, freut sich aber zugleich, daß Frankreich ketzer- und judenfrei ist.

Noch ein weiterer und weitreichenderer Baufehler ist für die Rekonstruktion zu beseitigen: Die Reformationsforschung dieses Jahrhunderts war zunächst ausschließlich auf die Gestalt Luthers ausgerichtet. Mit gleicher Ausschließlichkeit hat sie sich während der letzten Jahrzehnte auf die vitale Verbindung von Bürgerfreiheit und reformatorischem Glauben in den Städten konzentriert. Zu einem Totalbild gehört aber neben Luther und dieser Stadtreformation noch eine dritte Phase, ja dritte Kraft, die der evangelischen Bewegung erst außerdeutsche, europäische Geltung verschafft hat: die »dritte Reformation«, der Gestalt des Reformators von Genf, Johannes Calvin († 1564), verpflichtet und deshalb als Calvinismus bezeichnet.

Die Städte verhalfen Luther in den zwanziger Jahren des 16. Jahrhunderts zu einer Resonanz, welche die evangelische Bewegung über die kritische Phase von Kirchenbann und Reichsacht hinweggetragen hat. Seit Jahrzehnten von sozialen Spannungen durchsetzt und bis in die höchste Bildungsschicht in Kirchenkritik geübt, konnten die Städte als Umschlagplätze von Nachrichten und Ideen zu Schaltstellen der Reformation werden, in politischer Aktion und Agitation, in Predigt und Druckerzeugnissen. Die Bedeutung der Stadtreformation ist somit unbestritten. Sie blieb jedoch eine Episode, die im Reich nur etwa zehn Jahre lang ihre Lebenskraft bewahren konnte und ihren Höhepunkt in den späten zwanziger Jahren erreicht hatte, bis sie unter dem Druck des Kaisers noch vor der Jahrhundertmitte zusammenbrach.

Die »dritte Reformation« verdankt ihr Entstehen eben dieser politischen und rechtlichen Schwächung des Status der Städte. Das kaiserliche Interim von 1548, das Religionsdiktat nach der militärischen Niederlage der evangelischen Stände, besiegelte die unumkehrbare Entwicklung von der Reichsstadt zur Kreisstadt.[2] Die Träger der dritten Reformation sind Refugées, Flüchtlinge aus den süddeutschen, französischen und bald auch aus den niederländischen Städten. In Dauer und Fernwirkung ist diese Bewegung den Frühphasen der Reformation weit überlegen. Sie deutet das Evangelium von Gnade und Glaube im Erfahrungshorizont der Vertreibung.[3] Rechtfertigung der Gottlosen wird erlebt als die

Rettung der Heimatlosen. Die veränderte Einstellung den »elenden« Juden gegenüber gehört zu den hervorstechenden Merkmalen der dritten Reformation: Exil, nicht mehr Judenstrafe, wird zur Lebensform des Gottesvolkes aller Zeiten.

Die zweite Welle der Reformation, die Luthers Entdeckung des Evangeliums auf ganz eigene Weise innerhalb der Stadtmauern Gestalt gegeben hatte, war unter dem Panier von Gemeinwohl, Stadtfreiheit und Bürgerrecht angetreten. Diese Reformation verband sich mit der Sehnsucht nach der so offensichtlich fehlenden Verwirklichung des Corpus Christianum, nach der Umgestaltung der Stadt zum vorbildlichen christlichen Gemeinwesen, das auf reine Lehre und Sitte und somit (!) auch auf Judenfreiheit zu halten hatte. Die Grenzen der Stadtfreiheit wurden vom christlichen Glauben gezogen.

Stadtreformatoren wie Huldrych Zwingli in Zürich und Martin Bucer in Straßburg haben zwar Luthers Ausbrüchen gegen die Juden nie zugestimmt, diese sogar geniert als grobschlächtig bemängelt, sie teilten aber seine Grundhaltung, daß Juden als Juden, also ungetaufte Juden, das Gemeinwohl bedrohen.[4] Christliche Hebraisten wie Andreas Osiander in Nürnberg und Wolfgang Capito in Straßburg leisteten grundlegende und umfangreiche Pionierarbeit auf dem Gebiet der Auslegung des Alten Testaments und vermittelten einen tiefen Respekt vor dem Judentum auf der Ebene der jüdischen Gelehrsamkeit.[5] Obwohl Schüler Reuchlins und auf seinen Schultern stehend, blieben sie doch darin der städtischen Reformation verpflichtet, daß sie Reuchlins Eintreten für die weltlichen Rechte der Juden nicht zum Programm erhoben haben. Sogar Osiander, als »Judenvater« geschmäht und tatsächlich ein mutiger Anwalt gegen Judenverleumdung, durchstößt nicht die Grenzen einer sozial-religiösen Gesamtschau vom »judenfreien Wohlstand«.

Erst als die heimatlosen christlichen Flüchtlinge

das Schicksal der Juden zu teilen gezwungen waren, erschien die Vertreibung nicht mehr als eindeutiger Beweis für die Strafe Gottes. Das Schicksal der Zerstreuung über die Welt wandelt sich nun vom Schuldbeweis der verstockten Juden zum Treueerweis der bekennenden Christen. In den späten französischen Predigten Calvins, erst kürzlich in einer modernen Ausgabe erschienen,[6] stoßen wir auf ein wachsendes Gespür für die verborgene Schicksalsgemeinschaft zwischen Christen und Juden in der Heimatlosigkeit von Verfolgung und Diaspora.[7]

In zwei Stoßrichtungen über Frankreich und die Niederlande nach England, Schottland und schließlich Nordamerika verbreitet sich diese Sicht von dem einen gemeinsamen Gottesbund für Juden und Christen, die zuvor, von Augustin bis Erasmus und Luther, noch undenkbar gewesen war.[8] Der alte und der neue Bund fügen sich jetzt in der ungeteilten Heiligen Schrift zu dem einen Testament zusammen. Entdeckt wird die unwandelbare Verfügung des treuen Gottes, der stets zu seinem Worte steht, unbeirrt vom Ungehorsam seines Volkes, seien es Juden oder Christen. Aus den Anfängen der Reformation ist nur der Lutherschüler Justus Jonas dieser zukunftsweisenden Sicht nahegekommen.

Im Laufe des 17. Jahrhunderts werden zunächst in Holland, dann in England und schließlich auch in einigen Siedlungen der Neuen Welt den Juden neben der Zusage von Schutz auch gewisse Bürgerrechte eingeräumt. Im Jahre 1657 verlangen die Niederlande, daß ihre Juden im Ausland als Staatsbürger anerkannt werden[9] – ein Akt der Emanzipation, der im Gegensatz zu kurzfristigen Statusbesserungen, die anderswo in Europa der aufgeklärte Absolutismus und die französische Revolution bewirkt hatten,[10] nicht mehr zurückgenommen werden sollte. Die dritte Reformation stößt jeweils dann auf die Grenzen ihrer Befreiungskraft, wenn sie ihr Schicksal der Heimatlosigkeit im Griff nach politischer Hegemonie abzustreifen sucht. Dort aber, wo sie in die Diaspora gewiesen blieb oder dorthin zurückgestoßen

wurde, hat sie am weitesten in die Neuzeit hineinge-
reicht.[11]

Die dritte Reformation hat ihre Wirkung in die
Neuzeit hinein nicht erkaufen müssen mit der Preisgabe
ihrer Wurzeln im Zeitalter von Humanismus und Reformation. Ihre vitale Tragkraft verdankt diese Bewegung
jenen fremden Bundesgenossen, die erst jetzt, in der Wirkung, zum Triumvirat zusammenfinden: Luthers pro-
grammatische reformatorische Schriften vom Jahre 1520
sind unverkennbar die Basis auch der dritten Reformation; die Auslegung des Alten Testaments ist von den
christlichen Hebraisten geprägt, die sich selber als Schüler Reuchlins verstehen; und schließlich war es dieser
dritten reformatorischen Kraft im 17. Jahrhundert nur
deshalb möglich, erasmianisches Gedankengut so viel-
fältig zu übernehmen, weil ihre eigenen Wurzeln in der
Stadtreformation lagen, die mit ihrer Einbindung von
Schule und Frömmigkeit in das Gemeinwohl dem Erasmus von Rotterdam verpflichtet war. In der Umdeutung
durch die dritte Reformation werden Reuchlin, Erasmus
und Luther ihres Antijudaismus entkleidet und können
nun gemeinsam einem neuen Aufbruch zur Solidarität
dienen, den keiner von ihnen vorhergesehen hatte.

Aus dieser Sicht dürfen wir eine These und eine
Hypothese wagen.

Zunächst die These: Die ersten greifbaren Fortschritte in Richtung Toleranz sind nicht auf ein »neues
Heidentum« zurückzuführen. Sie sind weder den Vor-
reitern der Aufklärung zu verdanken, den elitären ›Dei-
sten‹ zwischen John Locke († 1704) und David Hume
(† 1776) in England, noch den ›Philosophen‹ wie Mon-
tesquieu († 1755) oder Voltaire (†1778) im vorrevolutio-
nären Frankreich, um von der späten Aufklärung in
Deutschland zu schweigen. Zweifellos, jenen Aufstieg
des Heidentums hat es gegeben, aber eben den Aufstieg
der Nichtjuden, der ›Gojim‹, bis ins 20. Jahrhundert
hinein. Mit allen seinen Folgen.

Und nun die Hypothese: Was religiöser Fanatismus über Jahrhunderte hinweg in die Vorstellungswelt von Eliten und ungebildeten Volksschichten gleichtief eingehämmert hat, kann nur durch ein ebenso wirksames Gegengift ausgelöscht, ja ausgetrieben werden. Wenn das nicht geschieht, dann schwelt, wie die jüngste europäische Geschichte zeigt, unter der aufgeklärten Oberfläche der modernen pluralistischen Gesellschaft der Brandherd der Angst. Nichts ist so gefährlich, wie diese Angst überschreien zu wollen, indem die Nazizeit als »einmaliges« Verbrechertum deklariert, als Ausnahme in einer an sich aufgeklärten Welt präsentiert und eben so als »typisch deutsch« verharmlost wird. Wenn nicht die Haßbilder bis in ihre Tiefen freigelegt werden, sind wir nicht dagegen gefeit, daß aus der glimmenden Asche einer »einmaligen« Vergangenheit der Antisemitismus wiederum emporsteigt. Nichts ist gefährlicher, weil weniger berechenbar, als die Koalition zwischen alter religiöser Angst und moderner Gott-loser Hoffnung.

Auch die dritte Reformation hat ihre Geschichte von Aufstieg und Niedergang. In Europa hat sie seit dem Anfang des 18. Jahrhunderts zusehends an Überzeugungskraft eingebüßt, als sie sich – antiintellektuell, antikulturell und introvertiert – vom Erbe Reuchlins und seiner Zeitgenossen Erasmus und Luther entfernt hatte. Wo sie heute noch Lebenswille zeigt in der Mitgestaltung von Politik und Moral, wird die dritte Kraft als puritanisch, fundamentalistisch oder biblizistisch plakatiert und in die Vergangenheit verwiesen. Damit laufen wir Gefahr, uns vom Bleibenden in der Verbindung von Glauben und Gemeinwohl zu trennen. Um dem Antisemitismus an die Wurzeln zu gehen, ist in diesem Erbe Unverzichtbares bereitgestellt: Die Schau der gemeinsamen Verfolgung, das Bestehen auf dem einen, in Gottes Geschichtsplan verankerten Fundament für die Zusammengehörigkeit von Juden und Christen. Es ist offenbar, wie weit die Duldsamkeit der Aufklärung Juden und Christen tragen kann: Eine Steigerung der arabischen Ölpreise und verfehlte Bomben Israels enthüllen jäh die Grenzen. Die Toleranz bleibt ein Schlagwort, wenn sie auf schlechtem Gewissen gründet. Toleranz zwischen Christen und Juden hat nur Zukunft in der Vergegenwärtigung der gemeinsamen Geschichte, in die sie beide durch den Bund Gottes gestellt sind – trotz Haß und Kollektivschuld, trotz Austreibung, Verfolgung und Vernichtung.

Anmerkungen zum Epilog

1) Peter Gay, *The Enlightenment: An Interpretation. The Rise of Modern Paganism,* 2. Aufl. New York 1977, 297.

2) Vgl. Gustav Bossert, *Das Interim in Württemberg,* Halle 1895, 95–105; Thomas A. Brady jr., *Ruling Class, Regime and Reformation at Strasbourg, 1520–1555,* Leiden 1978, 275 ff.; Erdmann Weyrauch, *Konfessionelle Krise und soziale Stabilität. Das Interim in Straßburg (1548–1562),* Stuttgart 1978, 159 ff.

3) Nachdem die Hugenotten in Teilen Frankreichs sich als nahezu toleriert betrachten konnten, erlebten sie durch die Bartholomäusnacht vom 24. August 1572 einen erneuten traumatischen Schock, vergleichbar mit der Wirkung des Interims. Dazu besonders Robert M. Kingdon, *Geneva and the Consolidation of the French Protestant Movement 1564–1572. A Contribution to the History of Congregationalism, Presbyterianism, and Calvinist Resistance Theory,* Genf 1967, 200 f.

4) Siehe Reinhold Lewin, *Luthers Stellung zu den Juden. Ein Beitrag zur Geschichte der Juden in Deutschland während des Reformationszeitalters,* Berlin 1911, Nachdruck Aalen 1973, 98 f.; J. Cohrs, *WA* 54. 20 f. Vgl. auch das von John W. Kleiner ausführlich dargelegte Material in: *The Attitudes of the Strasbourg Reformers toward Jews and Judaism,* Diss. (MS), Temple University Philadelphia 1978. Zu Martin Bucer siehe Dr. Kroner, »Die Hofpredigerpartei und die Juden unter Philipp von Hessen«, in: *Das Jüdische Literaturblatt* 11 (1882), 165 f.; 169 f.; Wilhelm Maurer, »Martin Bucer und die Judenfrage in Hessen«, in: *Zeitschrift des Vereins für hessische Geschichte und Landeskunde* 64 (1953), 29–43.

5) Für Osiander siehe Andreas Osiander d. Ä., *Gesamtausgabe,* Bd. 3: *Schriften und Briefe 1528 bis April 1530,* hg. von G. Müller, G. Seebaß, Gütersloh 1979, 335–340 und entsprechende Literaturangaben. Zu Capito siehe James M. Kittelson, *Wolfgang Capito. From Humanist to Reformer,* Leiden 1975, 21 f.; 25 f.; 33 f.; 211 f.

6) Predigt vom 8. Juli 1549 (Jeremia 16, 1–7): »Quant donc nous voyons que nous sommes pareilz aux Juifz, nous avons que nous sommes pareilz aux Juifz, nous avons ung mireoir pour congnoistre nostre rebellion contre

Dieu. Or quant il nous chastiera bien rudement, pourrons nous dire qu'il n'a pas assez attendu et que de nostre costé nous ne nous sommes pas monstrez incorrigibles jusques au bout? Ainsi donc, quant nous lisons ce passage, aprenons de ne point condampner les Juifz mais nous mesmes, et de congnoistre que nous ne vallons pas myeulx, et que s'il y a eu alors une telle brutalité que la parolle de Dieu n'ait de rien servy, que aujourdhuy il y en a autant ou plus.« Johannes Calvin, *Sermons sur les Livres de Jérémie et des Lamentations,* hg. von R. Peter, Supplementa Calviniana 6, Neukirchen-Vluyn 1971, 59, 12–18. Predigt vom 10. Juli 1549 (Jeremia 16, 12–15): »Et combien que nous ne soyons pas de la race d'Abraham et de ce peuple qui a esté delivré d'Egipte, neantmoins pource que nous representons ce peuple là, ceste delivrance ne nous doibt point sortir des aureilles.« S. 78, 27–29. Predigt vom 6. September 1550 (Klagelieder 1, 1, Einleitung): »... sy on faict comparaison avec ceux dont parle icy le prophete on trouverra que nous sommes beaucoup pires que ceulx là de son temps.« S. 183, 34–184, 1.

7) Zu einem anderen Ergebnis auf der Grundlage älteren Materials kommt A. J. Visser, *Calvijn en de Joden,* Beilage zu *Kerk en Israel* 17, 's Gravenhage 1963, bes. 18. Nicht anders Jacques Courvoisier: »... was Calvin zu diesem Thema sagt, ist für diese Sache nicht von großer Bedeutung.« »Calvin und die Juden. Zu einem Streitgespräch«, in: *Christen und Juden. Ihr Gegenüber vom Apostelkonzil bis heute,* hg. von W. D. Marsch, K. Thieme, Mainz 1961, 141–146; 146 (Erstveröffentlichung in *Judaica* 2 [1946], 203–208).

8) Für die Lagebeurteilung auf jüdischer Seite siehe Hayim Hillel Ben-Sasson, »The Reformation in Contemporary Jewish Eyes«, in: *Proceedings of the Israel Academy of Sciences and Humanities* 4 (1969–70), Jerusalem 1971, 239–329; 286f. Aus jüdischer Perspektive ist die dritte Reformation nur ein weiteres Zeichen für das Auseinanderbrechen des Corpus Christianum. Wie im Falle der Hussitenbewegung ist dies selbstverständlich kein negatives Zeichen: »... the anti-hierarchical, anti-monastic and iconoclastic tendencies characterizing the Hussite movement [is considered] to be a change in the right direction ... The rise of Luther in Germany occurred at a time when Jews were in particular need of encouragement.« *Ibid.,* 255.

9) Siehe J. van den Berg, *Joden en Christenen in Neder-*

land gedurende de zeventiende eeuw, Verkenning en Be-
zinning 3, Nr. 2, Kampen 1969; vgl. »Eschatological
Expectations Concerning the Conversion of the Jews in
the Netherlands During the Seventeenth Century«, in:
*Puritans, the Millennium and the Future of Israel. Puritan
Eschatology 1600–1660,* hg. von P. Toon, Cambridge
1970, 137–153. Des weiteren Robert M. Healey, »The
Jew in Seventeenth-Century Protestant Thought«,
Church History 46 (1977), 63–79; 64. Am 13. Dezember
1619 gestatteten Holland und Westfriesland ihren Städten, eigene Gesetze zur Regelung ihrer Beziehungen
mit »der hebräischen Nation« zu erlassen. Veröffentlicht wurde dieses Dokument von J. Meijer, *Hugo de
Groot: Remonstrantie nopende de ordre dije in de landen
van Hollandt ende Westvrieslandt dijent gestelt op de
Joden,* Amsterdam 1949, 101. Das wichtigste Dokument ist der liberale Vorschlag des Hugo Grotius. Höchst
aufschlußreich ist dazu die anonyme Reaktion (ca. 1617)
auf die vorgelegten Gesetzesvorschläge von jüdischer
Seite; *ibid.,* Appendix C, 141–143. Vgl. auch W. J. M. van
Eysinga, »De Groots Jodenreglement«, in: *Mededelingen der Koninklijke Nederlandse Akademie van Weten-
schappen,* Afd. Letterkunde 13, Amsterdam 1950, 1–8.

10) Vgl. *Geschichte des jüdischen Volkes,* hg. von H. H. Ben-
Sasson, Bd. 3: *Vom 17. Jahrhundert bis zur Gegenwart.
Die Neuzeit,* München 1980, 44f.; 47f.

11) H. R. Trevor-Roper hat im Zuge seiner höchst anregen-
den Bemühungen um die Klärung der Beziehungen
zwischen Calvinismus und Aufklärung auf eine spätere,
in struktureller Hinsicht parallele Phase hingewiesen:
»We find that each of those Calvinist societies [six-
teenth-century Heidelberg, seventeenth-century Holland, Puritan England, Huguenot France, eighteenth-
century Switzerland and Scotland] made its contribution
to the Enlightenment at a precise moment in its history,
and that this moment was the moment when it repu-
diated ideological orthodoxy.« »The Religious Origins
of the Enlightenment«, in: *Religion, the Reformation
and Social Change and other Essays,* London 1967,
193–236; 205.

Beilage

Ein wunderbarlich geschichte – 1510 –

Ein wunderbarlich geschichte. Wye dye Mercki-
schen Juden das hochwirdig Sacrament gekaufft und zu
martern sich understanden.
Anno domini. 1510.*

Zu wissen, das dysz leufftigen der myndern Zal Im
Zehenden Jar: Am Mitwochen nach unnser lieben Fra-
wen Liechtmesz, umb Aylffstundt in der nacht, hat ein
böser Christ, mit namen Paul From, der geburt ein
Pomer, zu Pernaw gesessen, ein Kesselpüsser, ein mor-
der gewest, ausz teufflischer eingebunge Jn einem dorff
knoblach genant, dem bischoff von Brandenburg zuge-
hörig Jn der kyrchen das Cibarium auffgebrochen, dar-
ausz ein ubergult puchszleyn, darin zwo consecrirt
Hostien, ein grosz unn ein kleyn gewest, sambt einer
kupffren vergulten Monstrantzen, gestoln.

Als er aber des volgenden tags umb Achte, nit weyt
von dem dorffe Stacka, komen, hat er sich auff einen
steyn nydergesetzt, den diebstal besichtigt, und die grossen hostien unwirdigklich vernutzt. Zu handt ist es vinster umb Jne worden. Also, das er lenger dann in einer
halben stunndt, nit hat mögen auffstehen, oder weg
komen.

Darnach ist er geyn Spandaw (ein Stat, Zwo meyl
von Perlyn nach Brandenburg gelegen, do dye haffel und
Sprewr zusamen fliessen) gangen, und einem Juden mit
namen Salomon die Monstrantzen zu verkauffen angeboten. Darauff Salomon geantwort: wo das gewest, ist
mehr gewest. Also hat der bösz Christ das hochwirdig

---

*   Übersetzt und kommentiert S. 129–133

Sacrament ausz dem püszen gezogen, unn umb Sechzehen groschen geboten. Darauf Salomon funff gelegt, und den kauff umb Newn Merckisch, thüt Sechs Sylber groschen, beschlossen.

Darauff ist der gots verkauffer Jnns landt gen wenden zogen, hat aber nit do bleyben mögen, Sonder ist, ungeacht das er gewarnt was, das gerücht berurts diebstals seiner leichtvertigkeyt uber Jne ging, wider anheym zogen. Aldo dye Monstrantzen ausz seinem hauszs uber die mawr geworffen, Die aber ausz gotlicher fursichtigkeyt an einem bäumen hangen peliben. Do sye der Burgermaister funden, unn auff berürte vermütung den dieb gefengklichen angenomen, welher zuhant one alle marter bekant.

Aber Salomon hat das hochwirdig Sacrament auff ein ecken eins Tisch gelegt, darauff ausz hessigen Judischem angebornem neydt, mehrmals gehawen, gestochen, jedoch nit verwunden mögen, bysz so lang er zu zorn bewegt, under vil andern ungestümen worten gefluecht: ›Bistu der Christen got, So erzeyg dich in tausent teufel namen‹.

Auff der stund hat sich von dem stich der heylig fronleichnam Christi wunderbarlich in drey tayl, Jn massen, jne der priester taylt, getaylt. Also, daz die örter blutverbig gewest. Welhe drey Partickel er in seyner taschen vier wochen getragen.

Dweyl er aber mit Jacob, Juden zu Brandenburg, und Marcus, Juden zu Stendel, vor einem halben Jar abgereth unn verlassen: Welher under Jne, das hochwirdig Sacrament uberkeme, solts den andern zuschicken. Hat er den ein Partickel in einem büchszleyn, mit Semischem leder uberzogen, under seynem petschyr genantem Jacob, mit seinem Sone geyn Brandenburg, gleicherweysz den andern Marcus geyn Stendel zugesant.

Jn den Dritten hat er abermals gehawen und gestochen. Also das etlich blutsztropffen herausz geflossen. Den selben Partikel hat er wollen vernutzen, jns wasser werffen, verprennen, und in mancherlay weysz umbringen. Jst jme aber alles onmöglich gewest. Byszsolang er zu Radt worden, das er Jne in ein taygk, ader matzküchen verwurcket, und zu Jrer Ostern jn einen Packoffen geworffen. Und wiewols do zu mal vinster darin gewest, So het er doch zu hant (lauts seiner aygen bekentnüsz) ein klar hell liecht, unn ob dem prot ein schön kleyn kyndlen eins daumen lang, zwaymal schweben gesehen. Wiewol er auch dysz thünsz hart erschrocken des Christen gefengcknusz gewüst, unn geflohen wer, so ist Jm doch von Spandaw zukomen onmöglich gewest.

Den andern Partickel hat Marcus zu Stendel sambt den seinen, als vil an Jne gewest, gleicherweysz zu martern sich understannden, und geyn Braunschwyg, ader als etlich sagen, geyn Franckfurt an Meyn geschickt.

Also hat auch den Dritten Partickel Jacob zu Brandenburg auff ein Tisch gelegt, darein gestochen und gehawen, das man die blutsztropffen miltigklich auff dem tisch syhet. Wann er hat Jr nit mögen abwaschen oder vertreyben, Sonder einer Span ausz dem Tisch gehawen, den sambt dem Partickel geyn Osterbürg pracht, da ein gewaltiger Jud, Mayr genant, seinem Sone Jsaac beygelegt, und das hochwirdig Sacrament in einer Schussel verdeckt, der Preut an das peth getragen, mit dysen worten: ›Sye solt sich pillich frewen und geert achten, do precht er Jr der Christen got‹.

Alda haben die Veynd Christi auff der wirtschafft den selben Partickel abermals gemartert. Und Jsaac, der Preutigam, hat Jm von eren wegen den ersten stich geben. Dyser Partickel soll auch geyn Braunschwig komen seyn, do dan die Juden alle gefangen Sytzen. Sonder das prot, Tisch, darauff die plutsztropfen stehn und span, sindt gen Perlyn pracht, do wunderzeichen gescheen, und das Prot thut sich auff, velt und löst sich melich abe.

Es haben auch die verstockten plynten hundt jn der gefencknüsz bekant, Das sye in kurtzen Jaren Syben Christen kynder, Ayns fur Vierundzweytzig groschen, von seiner aygen mutter, einer pewryn, Ayns umb Drey gulden, Auch ains umb Zehen gulden gekaufft, die mit nadeln und messern gestochn, gemartert und getodt, das blut mit pareszöpffeln eingemacht, und zu Jrer notturfft gepraucht.

Derhalb hat der durchleuchtigst hochgeboren Churfurst, Margrave Joachim von Brandenburg etc. am Freytag nach Divisionis apostolorum zu Perlyn, den ubeltethern leib und gut aberkennen. Nemlich den Christen, mit Zangen reyssen und verprennen, der gleichen ein besondern Rost auffrichten. Darauff Acht unddreyssig Juden, an halszpender schmiden und zu pulver verprennen lassen.

Welche verstockten Juden (das frembdt zu horen, Wo sollichs nit gesehen) mit lachendem mundt das Urteyl angehört, mit Jrem lobgesang auszgefurt. Und auff dem Rost nit allain gesungen und gelacht, Sonnder auch zum tayl gesprungen, geiugzkt, Die verpunden henndt auffgeworffen, das stroh zu sich geraszpelt in die meuler gesteckt. Und also ungeacht der mercklichen wunderzeichen, mit grosser bestendigkeyt den tod gelyden, den pawvelligen Christen zu sunderm erschrecken.

Uber dye genanten haben sich angezaygter Jacob und noch Zwen tauffen lassen. Jacob, Jörg genant, und der ein sein nach volgenndts tags enthaubt, als Christen gestorben; der drit, ein augen artzt, Darumb das er allain an kyndern schuldig gewest, Jst erpeten jns Graw kloster gangen.

Es Sytzen auch noch zu Perlyn bysz Sechzigk Juden, tragen aber von dysem thun keyn wissen. Jst die sag, man werd sye, wie pillich, des lands abermals verweysen.

Getruckt zu Nuremberg durch Hieronymum Höltzel.

Die handelnden Personen

Im folgenden werden in alphabetischer Reihenfolge jene Gestalten vorgestellt, die in den Gang der dargestellten Geschichte eingegriffen haben. Dieser Schlußteil läßt sich somit auch als historische Einleitung lesen.

1. Martin Bucer
2. Johannes Calvin
3. Wolfgang Capito
4. Herzog Eberhard im Bart
5. Johannes Eberlin von Günzburg
6. Johannes Eck
7. Erasmus von Rotterdam
8. Kurfürst Friedrich der Weise
9. Jakob von Hochstraten
10. Balthasar Hubmaier
11. Ulrich von Hutten
12. Justus Jonas
13. Josel von Rosheim
14. Martin Luther
15. Philipp Melanchthon
16. Andreas Osiander
17. Johannes Pfefferkorn
18. Johannes Reuchlin
19. Huldrych Zwingli

1. Martin Bucer (1491–1551)

In Schlettstadt (Sélestat), Elsaß, geboren und in der dortigen berühmten Lateinschule in die Welt der humanistischen Ideale eingeführt, mußte Bucer die ›schönen Künste‹ vorerst ruhen lassen, als er fünfzehnjährig dem Dominikanerorden beitrat. Während seines Studiums in Heidelberg erlebt er Luther bei der großen öffentlichen Disputation des Augustinerordens (April 1518) und wird für die Sache der Reformation gewonnen. Mit päpstlicher Erlaubnis vom Ordensgelübte befreit zum Weltpriester geworden, wagt es Bucer als einer der ersten Reformatoren zu heiraten (1522). Von seiner Wahl zum Straßburger Vorstadtpfarrer durch die Gemüsegärtner (1524) bis zu seiner erzwungenen Emigration nach Cambridge (1549) im Zuge des Interims hat er ein Vierteljahrhundert lang die Reformation in Straßburg getragen und betreut.

Mit seiner Ausstrahlung weit über das Elsaß hinaus bemühte er sich, zwischen Wittenberg und Zürich zu vermitteln; durch die Aufnahme Calvins in Straßburg erstreckte sich sein Einfluß auch auf die reformierte Reformation; in den letzten Jahren seines Lebens schließlich, im Exil, war er an der Herausgabe des *Book of Common Prayer* beteiligt und hat so die Fundamente der Anglikanischen Kirche mitgeprägt.

2. Johannes Calvin (1509–1564)

Vor allem durch seinen ›Unterricht in der christlichen Religion‹, *Christianae religionis Institutio* (Erstausgabe Basel 1536), wurde der Franzose-im-Exil bereits in jungen Jahren zum führenden Reformator der zweiten Generation. Mit hohem Respekt vor Luther hat er dessen Entdeckung selbständig verarbeitet und damit sowohl die Genfer ›Mutterkirche‹ geprägt wie den europäischen Protestantismus ohne Obrigkeitsschutz in der Verstreuung zugerüstet.

Sein Studium der Rechte in Orléans und Bourges (1527–1529) führte zur Begegnung mit dem französischen Humanismus, der besonders von Juristen getragen wurde mit ihrem Wissen um die Tragweite der Eloquenz und ihrem Suchen nach den Quellen des römischen Rechts. Anschließend zog er nach Paris, in das soeben gegründete Collège Royal, um seine Kenntnisse in den alten Sprachen zu vertiefen. ›Trilinguis‹, wirklich dreisprachig, wurde er jedoch erst, nachdem er sich im Exil, in Basel und Straßburg, eingehend mit dem Hebräischen befaßt hatte. In seiner ersten selbständigen Veröffentlichung, einem Kommentar zu Senecas *De clementia* (1532), wagte er es, die Seneca-Ausgaben des Erasmus (1515, 1529) zu ergänzen und zu verbessern.

Die Entscheidung für die Reformation (1533/34) zwang ihn, die erträumte Gelehrtenexistenz aufzugeben. Sein Gespür für Rechtsfragen sowie seine nur mit Erasmus und Melanchthon vergleichbaren Kenntnisse der Kirchenväter wurden nun in den Dienst des Kirchenaufbaus in Genf (1536–1538; 1541–1564) und Straßburg (1538–1541) gestellt. Darüber hinaus galt Calvins Sorge in zunehmendem Maße der Fernbetreuung der Gemeinden ›unter dem Kreuz‹, in der Verfolgung, zunächst in Frankreich, bald in Italien, Polen, den Niederlanden und Schottland.

Calvins Beharren auf der Unterscheidung zwischen Kirche und Staat und sein Bemühen, Bekenntnis und christliche Zucht nicht der Obrigkeit zu überlassen, hat ihn bei manchem elitären Stadtregime unbeliebt gemacht. Kam er zur Alleinregierung, war der Calvinismus so zu erstickender Intoleranz fähig, doch die Gemeinden in der Verstreuung wurden damit zeitüberdauernd zur Selbständigkeit in Kirchenordnung und Glaubensfragen erzogen.

3. Wolfgang Capito (1478–1541)

Als promovierter Doktor der Theologie (Freiburg 1515) war der gebürtige Elsässer qualifiziert für die Predigerstelle am Münster zu Basel und für die Übernahme der Lehrtätigkeit an der dortigen Universität. Anders als sein Lehrmeister Erasmus und gegen dessen Wünsche, befaßte er sich intensiv mit der hebräischen Sprache und besorgte zusammen mit Konrad Pellikan und Sebastian Münster die erste vollständige hebräische Psalterausgabe im deutschen Sprachgebiet (November 1516). Zuvor hatte Reuchlin (1512) schon die sieben Bußpsalmen herausgegeben. Auch mit seiner zweibändigen Grammatik (1518) setzte Capito Reuchlins Arbeit *(Rudimenta)* voraus und führte sie zum Handbuch fort.

Nachdem er im Herbst 1518 Lutherschriften gelesen und ediert hatte, fand er dessen Hauptgedanken in der eigenen Schriftauslegung bestätigt – der einstige Erasmianer und bleibende Reuchlinist wendete sich Luther zu.

Als Reformator Straßburgs neben Martin Bucer versieht er Josel von Rosheim mit einem Empfehlungsschreiben an Luther (1537), als die Juden in Kursachsen von der Vertreibung bedroht wurden.

4. Herzog Eberhard im Bart von Württemberg (1445–1496)

Zielbewußt bemühte sich Graf Eberhard, die seit 1442 geteilte Grafschaft Württemberg zu vereinigen. Der Münsinger Vertrag (1482) erbrachte den Zusammenschluß seiner Uracher mit der Stuttgarter Linie. Der ihm verpflichtete Kaiser Maximilian erhob Eberhard zum Herzog von Württemberg und Teck (1495). Unter dem Einfluß von Gelehrten wie Johannes Reuchlin und Johannes Vergenhans (1425–1510), dem ersten Rektor der vom Landesherrn 1477 gegründeten Universität Tübin-

gen, entwickelte sich Eberhard zu einem ›Renaissance-
fürsten‹, der sich verantwortlich wußte für die geistige
und religiöse Wohlfahrt seines Landes. Dazu gehörte für
ihn auch die ›Judenfreiheit‹ Württembergs, die er gleichfalls in den Statuten der neuen Landesuniversität fest-
schreiben ließ.

Herzog Eberhards Politik der territorialen Konsoli-
dierung Württembergs – im Spannungsfeld zwischen
schweizerischen und habsburgischen Interessen – war
nie unbedroht. Die eigensinnige Politik Herzog Ulrichs I.
(1487–1550) ohne Rücksicht auf die Ehrbarkeit und – seit
der Zerschlagung des ›Armen Konrad‹ (1514) – ohne
Rückhalt im Lande, setzte die Errungenschaften Eberhards aufs Spiel. Als er rechtswidrig die Reichsstadt Reut-
lingen im Jahre 1519 eroberte, wurde er im Sommer des
gleichen Jahres vom eben gewählten Kaiser Karl V.
geächtet: Ohne nennenswerten Widerstand konnte
Ulrich vom Schwäbischen Bund vertrieben werden. Mit
Unterstützung von Hessen, Frankreich und Straßburg
gelang es ihm im Jahre 1534, sein Herzogtum zurück-
zuerobern.

Doch erst sein Sohn Christoph († 1568) vermag das
Vertrauen der württembergischen Stände zurückzugewinnen. Dazu gehörte, daß er die Judenpolitik Eberhards fortführte und zunächst sogar darauf bedacht war,
die Juden aus dem ganzen Reich vertreiben zu lassen
(1550). In einem Abkommen mit Josel von Rosheim
wurde schließlich festgelegt, daß die Juden ab sofort
nicht mehr am Herzog vorbei vor dem Kaiser prozessie-
ren durften. Als ›Gegenleistung‹ gewährt Christoph zwar
keine Aufenthaltsgenehmigung aber wenigstens das Pas-
sierrecht durch sein Herzogtum.

5. Johannes Eberlin von Günzburg (1468–1533)

Der neben Luther Sprachgewaltigste unter den Pamphletisten der beginnenden Reformationszeit begann seine Karriere im Franziskanerorden, als er nach einer Lehrtätigkeit in Basel und Freiburg 1519 Ordenslektor in Tübingen wurde. Nach Ulm versetzt, kommt es 1521 zum Bruch mit dem Orden. Obwohl – nach dem Maßstab seiner Zeit – bereits betagt, schreibt Eberlin jetzt sein Hauptwerk *Die 15 Bundesgenossen,* in dem er, von Luther inspiriert, ein umfassendes kirchliches und soziales Reformprogramm vorlegt. Eine ganze Reihe von bedeutenden Flugschriften folgen, unter ihnen *Der Glokkenturm* (1522) und *Ein getreue Warnung* zur Mäßigung der aufständischen Bauern (1525). In seinen letzten Jahren dient er in Wertheim dem Aufbau der evangelischen Kirche.

6. Johannes Eck (1486–1543)

Der gebürtige Schwabe war dank seiner Studienaufenthalte in Heidelberg, Tübingen, Köln und Freiburg schon früh imstande, humanistische Anregungen mit seiner scholastischen Bildung zu verbinden. Er muß als bedeutendster Gegner Luthers und der Reformation überhaupt gelten. Durch sein frühes Eingreifen (1518) in den Ablaßstreit und durch sein Bemühen auf der Leipziger Disputation (1519), den Wittenberger als Ketzer bloßzustellen, hat der Ingolstädter Professor wesentlich an der Eskalation von der ›Anfrage‹ Luthers zur ›Sache‹ Luthers beigetragen. Luthers Verurteilung wurde von Eck vorbereitet und vorangetrieben. Die ›Widerlegung‹ des Augsburgischen Bekenntnisses (1530) ist vornehmlich sein Werk, seine Beteiligung an den Religionsgesprächen, den letzten Annäherungsbemühungen der Zeit (1540/41), diente der klaren Ausarbeitung einer römisch-katholischen Orthodoxie. Bereits in seinem oft nachgedruckten und reichhaltigen *Enchiridion* (1525) hat er die Eckwerte dieser Orthodoxie in umfassender Weise artikuliert.

7. Erasmus von Rotterdam (1469–1536)

Erzogen in der Tradition der ›modernen Frömmigkeit‹ (Devotio moderna) des 15. Jahrhunderts, in Deventer und Paris ausgebildet, in Italien und England gebildet, kehrte Erasmus im Sommer 1514 bereits als ›Fürst der Humanisten‹ auf den Kontinent zurück. Berühmt war er vor allem wegen seiner Sammlung klassischer Weisheitssprüche, *Adagia,* und wegen des satirischen *Lob der Torheit.* Auf dem Wege von Löwen nach Basel ist er überrascht und angetan von dem begeisterten Empfang: »Deutschland hat mich mit überwältigenden Ehrbeweisen eingeholt.« Im Jahre 1530, als er aus dem evangelischen Basel ins altgläubige Freiburg ausgewichen war, hat er jene Begeisterung ›durchschaut‹: »Es ist typisch deutsch, wenn irgendwer mit irgendeiner wahnsinnigen Ideologie aufwartet, diese sofort zu umarmen« (24. Juni 1530).

Die Reformatoren bedrohen für ihn den Frieden und die gute Ordnung und damit die Sache der ›schönen Künste‹. Aber auch die wahre Frömmigkeit wird gefährdet. 1524 hatte er deshalb bereits gegen Luther *Über den freien Willen* geschrieben. Seine Ausgabe des griechischen Neuen Testaments (1516) wurde zum Arbeitsbuch der Reformatoren, doch sein Programm für Reform und Bildung setzte auf eine ganz andere, langfristige Änderung von Kirche und Gesellschaft durch die humanisierende Wirkung der an den Quellen der Weisheit ausgerichteten Erziehung. Ein erneuertes Europa war auch für ihn ein christliches Europa ohne Juden.

8. Kurfürst Friedrich der Weise (1463–1525)

Seit 1486 Kurfürst von Sachsen, aus der ernestinischen Linie der Wettiner, gründete Friedrich im Jahr 1502 in Wittenberg seine Landesuniversität. Indem er das dortige Allerheiligenstift mit einer umfangreichen Reliquiensammlung ausstattete, erhob er Wittenberg zugleich zum kirchlichen Zentrum des Landes. Als Schutzherr seiner Universität und Kirche gelang es ihm, Luthers Vorladung nach Rom zu verhindern und dessen Verhör auf deutschem Boden (Augsburg 1518) durchzusetzen. Als der Reformator vom Papst verdammt war, bestand Friedrich wider alles Kirchenrecht auf einem erneuten Verhör, das in Worms vor versammeltem Reichstag tatsächlich zustande kam (1521). Als der Unbußfertige vom Kaiser geächtet wurde, sorgte Friedrich für Luthers Schutz und Schirm auf der Wartburg.

Nach seinem Tode mitten im Bauernkrieg (1524–1526) wurde die Regierung von seinem Bruder und Mitregenten Johann dem Beständigen († 1532) übernommen, der nunmehr aktiv für die Durchführung der Reformation eintrat, unter anderem durch Visitationen in Kursachsen. Sein Sohn Johann Friedrich der Großmütige (1503–1554), bereits mit den Ideen Luthers erzogen, wurde im Schmalkaldischen Krieg gefangen (1547) und verlor sein Kurfürstentum an Moritz von Sachsen. Im Jahre 1536 erließ Johann Friedrich das sächsische Judenmandat, gegen das Josel von Rosheim über Luther zu intervenieren suchte.

9. Jakob von Hochstraten O. P. (1460–1527)

Nach seiner Tätigkeit als Professor der Theologie in Löwen und als Prior des Dominikanerklosters in Antwerpen wurde Hochstraten im Jahre 1504 nach Köln berufen. Er entwickelte sich bald zum gefürchteten Inquisitor der Kirchenprovinzen Köln, Mainz und Trier.

Auf Vorschlag des konvertierten Juden Pfefferkorn verlangte er die sofortige Konfiszierung der talmudischen Schriften. Er führte den Prozeß gegen Reuchlin und wurde so zu einem der Hauptziele in den satirischen Dunkelmännerbriefen (1515, 1517). Auf Drängen des Führers der Reichsritterschaft, Franz von Sickingen, als Prior in Köln abgesetzt, konnte er es als seinen persönlichen Sieg betrachten, daß Reuchlin im selben Jahr 1520 von Rom verurteilt wurde.

Kurz zuvor war es einem Landsmann Hochstratens, dem Antwerpener Daniel Bomberg († 1553) gelungen, die päpstliche Genehmigung für den ersten Druck des vollständigen Talmud (Venedig 1519–1523) zu erwirken. Am 12. August 1553 verordnete Papst Julius III. jedoch die Verbrennung aller hebräischen Schriften. In Venedig brannten die Bücher, noch bevor das Feuer durch den ganzen Kirchenstaat schlug.

10. Balthasar Hubmaier (1485–1528)

Der erste ›Fachtheologe‹ unter den Täufern erhielt seine akademische Ausbildung in Freiburg zu Füßen des späteren Luther-Gegners Johannes Eck. Als Dompfarrer in Regensburg (1516–1522) wendete er sich mit Vehemenz gegen die unter kaiserlichem Schutz stehende Judengemeinde. Als nach dem Tode Maximilians (12. Januar 1519) im Reich noch kein neuer Kaiser gewählt war, wurden auf sein Betreiben die Juden innerhalb von vier Tagen ausgewiesen, die Synagoge zerstört (21. Februar) und auf ihren Trümmern die Kapelle ›Zur schönen Maria‹ gebaut.

Seit dem Winter 1522/23 rechnete sich Hubmaier zu den Evangelischen und findet Zugang zu Zwingli in Zürich. Als er sich 1525 ›neu‹ taufen läßt, bedeutet dies jedoch zugleich den Bruch mit dem Zürcher Reformator. In Wien wurde Hubmaier wegen seines Wirkens in Mähren, wo ein Mittelpunkt des Täufertums entstanden war, verurteilt und am 6. März 1528 verbrannt.

11. Ulrich von Hutten (1488–1523)

Der hochbegabte Publizist stellte seine scharfe Feder in den Dienst der nationalen Befreiung Deutschlands von Rom und der geistigen Reform mittels humanistischer Bildung. Er trug mit einem zweiten, wesentlich verschärften Teil zu den Dunkelmännerbriefen bei und trat so zusammen mit Crotus Rubeanus für Reuchlin ein – nicht um die Juden zu schützen, sondern um der römischen Unterdrückung durch Kölner Inquisitoren und Professoren zu wehren, die scholastisch denken und angeblich Latein sprechen.

Im Jahre 1517 wurde ihm vom Kaiser Maximilian die höchste Auszeichnung zuteil, als dieser ihn zum ›poeta laureatus‹ krönte. Nach dem mißlungenen Aufstand der Reichsritter unter Führung Franz von Sickingens (Herbst 1522) sucht Hutten, bereits todkrank, Zuflucht bei Erasmus in Basel (Ende 1522). Weil dieser ihn abweist, richtet Hutten seine letzte Kampfschrift gegen den ›Verrat‹ des von ihm einst als mutiger Vorkämpfer der Freiheit verehrten Gelehrten.

12. Justus Jonas (1493–1555)

Während seiner Studienzeit in Erfurt, die ihre Krönung fand in der Promotion zum Doktor beider Rechte, des römischen und des kanonischen Rechts (1518), hatte Jonas in Erasmus den ›mächtigsten König der Wissenschaften‹ verehrt. Von Erasmus persönlich zum Theologiestudium angestoßen und wohl durch seinen Freund, den Erfurter Augustinerprior Johannes Lang, mit Luther in Berührung gekommen, führt ihn sein Weg in den innersten Kreis um Luther in Wittenberg. Er wird Weggenosse des Reformators: In Worms auf dem Reichstag ist er gegenwärtig (1521), er feiert Luthers Hochzeit (1525), nimmt am Marburger Religionsgespräch teil (1529) und hält schließlich – schon längst bekannt als mächtiger Prediger – Luther die Grabpredigt.

Durch seine umgehende Übersetzung von Luthers Streitschrift gegen Erasmus, *De servo arbitrio* – ›Vom unfreien Willen‹, dokumentiert er öffentlich den Bruch mit seinem früheren Idol und Inspirator Erasmus. Seine herausragenden Sprachkenntnisse versetzen ihn in den Stand, auch umgekehrt Luthers deutsche Schriften ins Lateinische zu übersetzen und so der europäischen Bildungswelt zugänglich zu machen. An der Judenfrage leuchtet auf, wie sehr Jonas als treuer Freund und Schüler Luthers dennoch sein eigener Mann geblieben ist.

13. Josel von Rosheim (1478–1554)

Drei Jahre nachdem es Josel gelungen war, die Vertreibung der Juden aus Oberehnheim (Elsaß) zu verhindern (1507), wurde er von der Elsässischen Judenschaft zu ihrem ›Parnos‹ und ›Manhig‹, zu ihrem Vorsteher und Leiter gewählt. Nach der Wahl von Kaiser Karl V. (1519–1555) läßt Josel sich bei der Krönung in Aachen (1520) die Judenprivilegien im Reich bestätigen, angesichts der Judenvertreibung aus Regensburg (1519) ein besonders dringendes Anliegen.

Der zähe Einsatz des ›gemeiner Judenheit Regierer im deutschen Land‹ reicht von der siegreichen Disputation gegen den getauften Juden Antonius Margarita während des Augsburger Reichstags (1530), über das Verbot der Lutherschrift *Von den Juden und ihren Lügen* (1543) durch den Straßburger Rat bis zur Verabschiedung des bis dahin umfassendsten der kaiserlichen Judenprivilegien auf dem Reichstag zu Speyer (3. April 1544) – allerdings bereits im Februar 1551 vom Reichstag wieder erheblich eingeschränkt.

14. Martin Luther (1483–1546)

Der Augustinermönch und Wittenberger Theologieprofessor schien mit seinem Thesenanschlag (31. Oktober 1517) zunächst nur die mittelalterliche Kritik an der Kommerzialisierung der Kirche durch Verkauf von Ablässen zu erneuern. In der Klosterzelle und im Hörsaal war er aber so tief in die Schrift eingedrungen, daß er schon mit seinem ersten öffentlichen Auftreten die mittelalterliche Kirche zwang, sich der – hinter zeitgebundenen Mißständen verborgenen – grundsätzlichen Frage nach Schrifttreue und Glaubensfreiheit zu stellen.

1521 vom Papst gebannt und kurz darauf in Worms vom Kaiser geächtet, konnte Luther sich dank des Schutzes seines Landesherrn, Kurfürst Friedrich von Sachsen, noch ein Vierteljahrhundert lang für die Reformation der Kirche einsetzen: mit polemisch groben Flugschriften, ausgewogenen Gutachten, gehobenen wissenschaftlichen Traktaten, nahezu dreitausend zum Teil sehr persönlichen Briefen und – mit großer Fernwirkung – durch die sprachschöpferische Übersetzung des Alten und des Neuen Testaments.

Nachdem sich die reformatorische Bewegung mit kirchenfremden oder die Gemeinschaft gefährdenden Interessen verbunden und zu einer politischen und sozialen Macht entfaltet hatte, war er bis zum Ende seines Lebens bemüht, auch im eigenen Lager mit harten Stellungnahmen gegen Fürsten, Bürger und Bauern die Domäne des christlichen Glaubens zu umreißen und zu verteidigen. Für Juden ist dort ebenso wenig Platz wie für Papst und Türken.

15. Philipp Melanchthon (1497–1560)

Melanchthon wurde, auf Empfehlung seines Großonkels Johannes Reuchlin, Griechischprofessor in Wittenberg und dort bald Luthers nächster Mitarbeiter und vertrauter Kollege. Angetreten hat er seine neue Wirkungsstätte (29. Mai 1518) mit einem umfassenden Plan zur Studienreform auf der Basis von klassischer Literatur, Kirchenvätern und Heiliger Schrift. Dazu hatten ihm Reuchlin und Erasmus noch gratulieren können. Doch innerhalb eines Jahres wird er zum Theologen im Sinne Luthers und zeigt sich in aller Öffentlichkeit als Schüler und Bundesgenosse durch seine Beteiligung an der Leipziger Disputation zwischen Karlstadt, Luther und Eck (1519). Er beginnt jetzt, selber Bibelvorlesungen zu halten, aus denen die *Loci Communes* (Erstausgabe 1521) entstehen, die erste evangelische Dogmatik, die von Luther zeitlebens als beste Zusammenfassung biblischer Theologie gelobt wird.

Seine große Formulierungskraft machte Melanchthon zum begehrten Gutachter und zum Vertreter Kursachsens auf Reichstagen und Religionsgesprächen. Er ist der Verfasser der ersten lutherischen Bekenntnisschrift, der als *Confessio Augustana* bezeichneten Glaubensrechenschaft der evangelischen Reichsstände (1530). Als Verkörperung jener Einheit von biblischem Humanismus und reformatorischer Theologie, die zwischen Bildung und Glaube wie zwischen Schule und Kirche zu unterscheiden weiß, gelang es Melanchthon, das reformatorische Erbe ›tradierbar‹ zu machen und dieses vor dem wissenschaftlichen wie kulturellen ›Abseits‹ eines engstirnigen Konfessionalismus zu bewahren.

16. Andreas Osiander (1498–1552)

Wohl schon in seiner Ingolstädter Studienzeit (1515–?) hat Osiander sich den biblischen Sprachen verschrieben: Reuchlin und Erasmus waren seine Leitbilder in der Arbeit am Alten und Neuen Testament; Reuchlin ist es zeitlebens geblieben. Im Jahre 1520 als Hebräischlehrer am Nürnberger Augustinerkloster angestellt, kommt er im dortigen, auf Reform drängenden Humanistenkreis mit den ›Martinianern‹, den begeisterten Anhängern Luthers, in täglichen Kontakt: Jetzt wird er ›Lutheraner‹ und bleibt es.

Als Prediger an die Kirche St. Lorenz berufen, entwickelt er sich zu dem Reformator Nürnbergs. Als solcher war er beteiligt an Zentralereignissen der Reformationszeit: am Marburger Religionsgespräch (1529) zwischen Luther und Zwingli, am Augsburger Reichstag (1530) und an den Einigungsversuchen zwischen Alt- und Neugläubigen in Hagenau und Worms (1540). Heute kann nicht mehr bezweifelt werden, daß er der Verfasser des anonymen Vorwortes zum Hauptwerk des Nikolaus Kopernikus (1543) ist. Zuvor hatte er in einer anderen wichtigen, ebenfalls anonymen Schrift (1529) Stellung bezogen gegen die Verklagung der Juden auf Ritualmord.

Als Kaiser Karl V. nach seinem Sieg über die evangelischen Stände die Reformation im sogenannten Interim (1548) zu ersticken drohte, war Osiander gezwungen, nach Königsberg auszuweichen. Seine letzten Jahre (1549–1552) werden überschattet von der Auseinandersetzung um die richtige Deutung der Lehre Luthers. Als kurz vor seinem Tode dieser Streit seinen ersten Höhepunkt erreicht, wird zum Beweis seiner ›Unzuverlässigkeit‹ vom Führer der orthodoxen Lutheraner, Matthias Flacius, vorgebracht, daß er doch ›vor acht Jahren‹ (1543) einen Brief an Luther geschrieben und darin dessen Judenschriften heftig kritisiert habe.

Dieser Brief ist nicht erhalten. Es paßt jedoch ganz in das Profil Osianders, sowohl Luther ›ins Gesicht zu widerstehen‹ (Galater, Kapitel 2, 11), als auch die Härte der Judenschriften des Wittenbergers zu rügen.

17. Johannes Pfefferkorn († 1522?)

Geburts- und Todesjahr sind nicht gesichert. Sein Übertritt zum christlichen Glauben und damit sein Namenswechsel von Josef zu Johannes – durch den Rat von Nürnberg am 10. September 1506 bezeugt – wurde nach Pfefferkorns eigener Angabe ein Jahr zuvor an seinem Wohnort Köln vollzogen.

Der Vorschlag, die hebräischen Bücher der Juden mit Ausnahme der Bibel zu konfiszieren und zu vernichten, ›da sie dadurch in ihrem Unglauben bestärkt werden‹, wird von ihm zum ersten Male im Jahre 1507 *(Judenspiegel)* erhoben. In den folgenden Jahren erscheinen, oft an verschiedenen Druckorten zugleich, Schriften, die mit eskalierender Aggressivität auf unverzügliche Judenmission und letztlich auf Judenvertreibung drängen. Der lateinischen Ausgabe seines *Judenfeind* (1509) ist ein Gedicht des Universitätslehrers und Verlagslektors Ortwin Gratius († 1542) über die ›Hartnäckigkeit der Juden‹ vorangestellt. Spätestens seit dieser Zeit stand Pfefferkorn unter dem Schutz der Universität und des Dominikanerordens. Als dann aber die größtes Aufsehen entfachenden Dunkelmännerbriefe (1515, 1517) die Kölner Schirmherren karikierten und als bornierte Talarträger mit elendem Latein der Lächerlichkeit preiszugeben suchen, ließ der weitere Verlauf des Kampfes die Judenpolemik Pfefferkorns historisch zurück.

18. Johannes Reuchlin (1455–1522)

In Pforzheim geboren, in einem Lande, das für die geistigen Anregungen der Renaissance in Italien und Frankreich besonders offenstand, wurde Reuchlin zum ersten deutschen Humanisten von europäischem Rang. Seine juristischen Studien in Orléans und Poitiers bereiteten ihn auf eine glänzende politische Laufbahn vor: Bereits 1484 Beisitzer am Hofgericht in Stuttgart, fungierte er von 1502–1513 als vielumworbener und einflußreicher Richter des Schwäbischen Bundes. Seine vorzüglichen Latein- und Griechischkenntnisse ergänzte er um das Hebräische durch privates Studium in Italien. Selbst ein ›Doctor Trilinguis‹ geworden, rüstete er eine ganze Generation von ›christlichen Hebraisten‹ zu durch die mühsame Zusammenstellung einer Grammatik, bescheiden angekündigt als *Rudimenta linguae Hebraicae* (1506).

Dieses Interesse am Zugang zum hebräischen Original entspringt seiner Bejahung der Kabbala, jener rabbinischen Geheimlehre, die in Wort und Vokabel des Alten Testaments die verborgene Offenbarung Gottes entdecken will. In seinen beiden Hauptwerken *De verbo mirifico* (1494, 2. Auflage 1514) und *De arte cabalistica* (1517) interpretiert er die Kabbala im christlichen Sinne als die im Alten Testament verhüllte Voraussage der Messianität Jesu.

Aus dieser Perspektive verteidigt er in einem Gutachten (1510) – zur Frankfurter Ostermesse 1511 in seinem *Augenspiegel* veröffentlicht – gegen den ›Tauft Jud‹ Pfefferkorn die Bedeutung der talmudischen Bücher. Der hieraus entstandene Streit mit den Kölner Theologen und den dominikanischen Funktionären der Inquisition führt bis zur päpstlichen Verurteilung im Jahre 1520. Der Großonkel Melanchthons wird jetzt im Klima der Ketzerangst wie Luther verurteilt – ohne daß er sich je die Anliegen der Reformation zu eigen gemacht hätte.

19.   Huldrych Zwingli (1484–1531)

In Wien und Basel zunächst scholastisch geschult, in der sogenannten via antiqua, kommt Zwingli bereits in Basel (1502–1506) in Berührung mit Wolfgang Capito und Konrad Pellikan, der damals zum Herausgeberkreis der großen Augustinausgabe des Verlags Johannes Amerbach gehörte. Seit 1514 ist Zwingli ein eifriger Schüler des Erasmus. Er besucht ihn von Glarus (1506–1516) aus in Basel zur Zeit der Drucklegung des griechischen Neuen Testaments. Von Einsiedeln nach Zürich berufen (1519–1531), wird er zum Reformator der Stadt mit Wirkung weit über die Eidgenossenschaft und Oberdeutschland hinaus.

Obwohl selber kein ›christlicher Hebraist‹ wie die Reuchlin-Schüler Pellikan und Capito, hat er doch das Alte Testament als verpflichtendes Gotteswort ernstgenommen und ausgiebig kommentiert. Wie für andere Erasmus-Schüler und Stadtreformatoren bedeutete auch für ihn der evangelische Neubau der Kirche keine Umkehr in der Judenschau.

CIP-Kurztitelaufnahme der Deutschen Bibliothek

Oberman, Heiko A.:
Wurzeln des Antisemitismus:
Christenangst und Judenplage
im Zeitalter von Humanismus u.
Reformation / Heiko A. Oberman. –
Berlin: Severin und Siedler, 1981.
ISBN 3 88680 023 7

© 1981 by Quadriga GmbH
Verlagsbuchhandlung KG, Berlin
Severin und Siedler
Alle Rechte, auch das der fotomechanischen
Wiedergabe, vorbehalten
Ausstattung: Otl Aicher, Rotis
Satz: Bongé & Partner, Berlin
Druck und Buchbinder: May & Co, Darmstadt
Printed in Germany 1981
ISBN 3 88680 023 7

Lew Kopelew

Ein Dichter kam vom Rhein

Heinrich Heines Leben und Leiden

Ein ganz neuer Kopelew tritt vor den
deutschen Leser: der liebende Verehrer
der deutschen Literatur, deren tragisch-
ster Gestalt er in dieser romanhaften
Biographie ein bewegendes Denkmal
setzt. Kopelew präsentiert Heine als
einen großen Außenseiter, dem Land
seiner Geburt – Deutschland – und dem
Land seiner Wahl – Frankreich –
gleicherweise in Leidenschaft und
Leiden verbunden.
»Heines Hoffnungen und Enttäuschun-
gen, seine Bekenntnisse und Voraus-
sichten sind heute vielleicht noch
gegenwärtiger, noch brennender aktuell
als vor 125 Jahren« (Lew Kopelew).

Severin
und Siedler

Hans Rössner (Hrsg.)

Rückblick in die Zukunft
Beiträge zur Lage

Wirtschaft und Wissenschaft, Kultur
und Kunst stehen am Beginn der acht-
ziger Jahre vor neuen Fragen.
Das Jahrhundert, das mit Hoffnung,
Elan und Optimismus begann, geht mit
Unsicherheit und Angst zu Ende; wirt-
schaftliche, politische und intellektuelle
Krisen scheinen bevorzustehen.
Herausragende Köpfe aus den verschie-
densten Disziplinen weisen auf geistige
Entwicklungen, Forschungsansätze und
gesellschaftliche Modelle hin, die aus
der allgemeinen Ratlosigkeit hinaus-
weisen.
Die Autoren: Leszek Kolakowski,
Golo Mann, Karl Dietrich Bracher, Ralf
Dahrendorf, Knut Borchardt, Horst
Albach, Reimar Lüst, Peter Wapnewski,
Victor F. Weisskopf, Manfred Eigen,
Otto Creutzfeldt, Bernhard Hassenstein,
Werner Hofmann, August Everding,
György Ligeti.

Severin
und Siedler

Karl Dietrich Bracher

Geschichte
und Gewalt

Zur Politik im 20. Jahrhundert

Die Erfahrung der fünfziger und
sechziger Jahre war noch sehr bewußt
vom Zeitalter der Kriege und Diktaturen
geprägt. Nun wird sie in Zweifel gezogen
von einer jüngeren Generation, die sich
im Widerstreit zwischen der Forderung
nach progressiver Veränderung und
einer Abwendung von Geschichte und
Gesellschaft im Namen
rousseauistischer Gegenutopien
befindet. So ist es links wie rechts
zu einer Erschütterung des
Fortschrittsoptimismus gekommen.
Unterschätzt werden aber auch die
politischen und ideellen Bedingungen
der Freiheit. Auf der Basis dieser
Erfahrung überprüft Bracher die
geschichtliche Bilanz unseres
Jahrhunderts.

Severin
und Siedler

Peter Wapnewski

Tristan der Held
Richard Wagners

Der »Tristan«: Wagners persönlichstes
Werk, am wenigsten bestimmt von
Ideologie und Weltenspekulation, am
mächtigsten bewegt von innerem
Aufruhr und privater Mythologie.
Gottfried von Straßburg machte den
großen Anfang, Thomas Mann liefert
das bürgerliche Nachspiel, in Wagner
wird die Kühnheit des Stoffes aufgehoben in der Kühnheit der Musik,
Mittelalter in Gegenwart, Gegenwart
in Zukunft projiziert. Das eine im
anderen, die Partitur im Text zu
verstehen und eben dadurch das
Werk in seiner souveränen Eigen-
gesetzlichkeit zu begreifen, ist die
Aufgabe dieser Studie.

Severin
und Siedler

Der nahe
und der ferne Gott

Nichttheologische Texte zur Gottesfrage
im 20. Jahrhundert.

Ein Lesebuch.
Eingeleitet von
Leszek Kolakowski

Im Zeichen der modernen Naturwissen-
schaften und atheistischer Ideologien
begann das Jahrhundert. Nach den
Katastrophen vielfältiger Gewaltherr-
schaften und zweier Weltkriege ist der
Glaube an die menschliche Vernunft in
der Tiefe erschüttert. So wird mit
größerem Nachdruck als zuvor die
Frage nach dem Sinn von all diesem
gestellt.
Dieses Lesebuch macht Denkwege und
Gotteserfahrungen von Leuten sichtbar,
»für die die Sache Gottes ein
Gegenstand der Sorge ist« (Kolakowski).

Severin
und Siedler